Évitez le franglais,
parlez français !

En souvenir de mon père, Pierre,
disparu le 5 octobre 2002.

Mes remerciements vont à Catherine Lichtenauer
pour son soutien sans faille
et ses suggestions toujours pertinentes.
Y. L.-C.

22, rue Huyghens, 75014 Paris
ISBN : 2-226-14382-3

Les Dicos d'or
de Bernard Pivot

Évitez le franglais, parlez français !

Yves Laroche-Claire

Albin Michel

Préface

Un dico franglais-français

Voici le premier dictionnaire franglais-français. C'est un événement, parce que son auteur, Yves Laroche-Claire, a fait œuvre utile en proposant pour chaque anglo-américanisme un ou plusieurs équivalents français, en provenance soit des commissions *ad hoc* chargées précisément de substituer au mot « yankee » un terme qui sonne français, soit de sa propre imagination.

Le franglais est un mot sinon inventé, du moins popularisé par Étiemble (*Parlez-vous franglais ?*, 1964). Il justifiait ainsi sa colère et son action contre l'invasion de notre langue par l'anglo-américanisme : « J'ai toujours été anticolonialiste, je le reste, les mots étant des envahisseurs particulièrement malins, pervers et redoutables. » Quoi de plus intime, en effet, que les mots ? Ils sont les compagnons permanents de nos jours et de nos nuits, de nos plaisirs et de nos travaux. Sans eux, pas de communication ni de culture. Si ceux qui constituent notre patrimoine, notre sensibilité, notre imaginaire, notre identité sont boutés dehors pour laisser la place à d'autres, qui relèvent d'une histoire ni plus ni moins respectable que la nôtre, mais qui n'est pas la nôtre, ne sommes-nous pas contraints à une mutation culturelle que nous n'avons pas souhaitée ?

Au vrai, tout est une question de mesure. Que des mots anglais et américains s'installent dans notre langue comme des mots français trouvent leur place au Royaume-Uni et aux États-Unis, rien de plus normal, et même rien de plus souhaitable. Chaque langue s'enrichit, se revitalise d'apports étrangers. Pour son profit, le français a su intégrer des mots venus d'Italie, d'Espagne, des pays arabes, d'Allemagne, des pays nordiques, etc. Ce qui agace, c'est la déferlante ; ce qui révolte, c'est l'excès issu d'une seule et même origine, même s'il est normal que, par leur puissance économique, scientifique et culturelle, les États-Unis soient le plus gros producteur et exportateur de mots.

Il ne s'agit pas, par un purisme intolérant, de rejeter des mots anglais aussi bien installés que leurs locuteurs dans des maisons du Périgord ou du Luberon.

Nous n'allons pas raccompagner aux frontières le *week-end*, le *best-seller*, la *garden-party* (employé par Proust), le *football*, le *fair-play*, le *jazz*, le *gang*, le *hold-up*, le *pedigree* (mais pourquoi ne l'avoir pas francisé en « pédigré » ?), la *pin-up*, le *slip*, le *sandwich*, le *big-bang*.

Quand nous avons su réagir à temps et proposer, dans l'avalanche de mots techniques débarqués de la Californie, des équivalents crédibles, ils se sont imposés. Par exemple, ordinateur pour *computer*, logiciel pour *software*, ou VTT (vélo tout terrain) pour un mot anglais... que j'ai oublié ! Mais, trop souvent, nous sommes lents, peu créatifs, parfois naïfs et désuets – imagine-t-on un jeune homme demandant de l'argent à un banquier pour créer une jeune pousse (*start-up*) ? – et plus frileux que les Canadiens francophones qui, sans barguigner, lancent dans la communication sur ordinateur le *courriel* et le *clavardage* (contraction de « clavier » et « bavardage »).

Ce qui est intolérable, ce sont ces mots anglo-américains, comme *booster*, *hit-parade*, *dispatching*, *serial killer*, *non-stop*, *best-of*, se *crasher*, *coach*, etc., qui ont leurs équivalents en français, reconnus et employés depuis longtemps, mais délaissés par *snobisme* – mot anglais établi en France depuis le XIXe siècle, que « maniérisme » et « affectation » ne remplacent pas tout à fait.

PRÉFACE

À chacun son franglais. Rejeter tous les mots recensés par Yves Laroche-Claire serait déraisonnable. Les accepter tous, même les inutiles, les prétentieux, serait irréfléchi et ridicule. L'un des mérites de cet ouvrage est de nous obliger à prendre conscience d'un phénomène de société, d'une dérive grandissante de la langue. Car ce dictionnaire est sûrement, hélas ! appelé à grossir...

Bernard Pivot

Introduction

Faut-il prendre part au débat passionnel qui oppose partisans et détracteurs des emprunts étrangers – et plus particulièrement anglais – par la langue française ? Faut-il s'insurger contre la déferlante des américanismes et autres anglicismes, ou, au contraire, y voir une évolution normale et saine de notre langue ?

À cette question, je ne répondrai pas. Elle n'a plus aucun sens, car le temps n'est plus au discours mais à l'action. L'usage quotidien d'une langue française anglicisée à l'excès, relayé par les médias et la publicité, lamine inexorablement et insidieusement notre vocabulaire, mettant en péril des centaines de mots bien français. Nous sommes soumis à la dictature des *bodybuilding*, *brushing*, *casting*, *dumping*, *fixing*, *footing*, *forcing*, *holding*, *jogging*, *meeting*, *training*, etc. Par un effet quasi mécanique, l'emploi répété et systématique d'un mot d'origine anglaise en remplacement de son équivalent français diminue l'occurrence d'utilisation de ce dernier, au point qu'il puisse irrémédiablement disparaître de notre vocabulaire. En cela, ce phénomène nous concerne tous, car c'est bien de notre culture commune qu'il s'agit ; de la langue que nous partageons avec une communauté francophone riche de quelque cent vingt-neuf millions d'âmes.

Ce problème a pris une telle ampleur que l'État se devait de s'y attacher, s'inspirant en partie de la politique linguistique des Canadiens francophones qui sont, plus que toute autre communauté, soumis quotidiennement à l'influence de l'anglais. C'est le temps de l'action. Mais une action qui ne se veut ni répressive ni autoritaire. Des commissions ministérielles de terminologie ont été mises sur pied dans le cadre de la loi Toubon relative à l'emploi de la langue française. À charge pour elles de réfléchir et de proposer promptement des équivalents français aux très nombreux termes anglais véhiculés par la langue technique et commerciale. Leurs travaux, régulièrement publiés dans le *Journal officiel de la République française*, connaissent certains succès. Pour exemple, la commission de l'informatique a imaginé **logiciel** en remplacement de *software*, celle des composants électroniques a créé **puce** comme équivalent du terme anglais *chip*. **Baladeur** fut conçu en 1983 par la commission de l'audiovisuel et de la publicité pour traduire *walkman*. *Minivan* s'est éclipsé derrière **monospace** et le *car pooling* n'a jamais vu le jour car **covoiturage** l'a remplacé avant qu'il n'aborde nos frontières. La commission des transports a imaginé **boutique hors taxes** pour *duty free shop* et la commission des sports a proposé **VTT** (vélo tout-terrain) pour désigner ce que l'anglais nomme *mountain bike*. Malheureusement, toutes les propositions n'ont pas rencontré pareil engouement. Ainsi, **coussin gonflable** éprouve une peine certaine à s'imposer définitivement devant *airbag*, tandis que la **mercatique** (commission de l'économie et des finances, 1987) est encore largement boudée.

Le rôle des commissions ministérielles de terminologie

Les diverses commissions ministérielles ont pour mission de concevoir des équivalents français aux mots étrangers associés à des réalités nouvelles. Les vélos tout-terrain comme les boutiques hors taxes n'avaient pas d'existence au siècle dernier notamment. En cela, les travaux des commissions sont essentiels pour préserver non seulement une culture mouvante par la force des choses, mais également une certaine cohérence dans la langue française, permettant à chacun de reconstruire le sens d'un néologisme par l'analyse de sa graphie. Ainsi le mot **télécopie** est-il composé entre autres de l'affixe *télé-* que l'on retrouve dans **télescope, télévision, téléprompteur**, **téléphone**, etc. Le locuteur ou le lecteur peut aisément déduire qu'une télécopie est une copie reçue ou envoyée au loin, tout comme une télévision est une vision d'une chose émise d'un lieu distant. Mais, *a contrario*, qu'en est-il de l'anglicisme *fax* ? Il n'est pas possible d'en reconstruire le sens en puisant dans son fonds langagier. Comment peut-on savoir, en l'occurrence, que *fax* n'est autre que l'abréviation anglo-saxonne de **fac-similé** (mot d'origine latine), alors qu'une telle troncation ne répond pas aux règles françaises du genre ? Il en résulte que *fax* est une greffe étrangère qui ne revêt pas le caractère quasi filial de son équivalent français **télécopie**.

Dans le même ordre d'idées, les commissions rappellent ou fixent les équivalents officiels des termes scientifiques, techniques ou commerciaux d'origine étrangère. *Time slot* devient **créneau horaire** ; *toll-free number* se rend par **numéro vert** ou **azur** ainsi que par **service libre appel** ; l'*afloat support* se traduit par **soutien logistique à la mer** ; l'*anti-skid* *system* par **système antipatinage** ; *glide path* par **radio-alignement de descente** ; *intercooler* par **échangeur thermique intermédiaire.** L'usage de cette liste de termes publiée, à l'initiative de la Commission générale de terminologie et de néologie, au *Journal officiel* n'est obligatoire que pour l'État et ses établissements publics. Libre aux entreprises et aux particuliers d'en faire ou non usage.

Les anglicismes au quotidien

La langue courante, celle qu'on lit ou entend dans les journaux, à la télévision ou à la radio, échappe logiquement à la refrancisation officielle de notre vocabulaire entreprise par lesdites commissions. Personne ne s'attend, bien sûr, à voir dans le *Journal officiel* un rappel à l'ordre préconisant de remplacer *cool* par **conciliant** ou **désinvolte.** Il s'agit, en effet, de la langue courante, qui n'est ni technique ni scientifique ni commerciale, et qui ne désigne pas plus une réalité nouvelle qu'aucun substitut français ne viendrait traduire.

Nous sommes dans un autre domaine, celui des mille anglicismes de notre vie quotidienne, tellement répétés et entendus que nous sommes bien en peine de les rendre instantanément en bon français. Nous parlons de *leasing*, de *meeting*, de *manager*, de *design*, de *stress*, de *bug*, alors que **crédit-bail, réunion,**

gestionnaire, **dessin**, **fatigue nerveuse**, **défaut caché** nous tendent une main que nous nous évertuons à dédaigner.

Le présent ouvrage, unique dans son genre, est conçu pour offrir à tous ceux désireux de refranciser leur vocabulaire un outil pratique les aidant dans leur démarche. Pour chaque anglicisme, le lecteur se voit proposer divers équivalents déjà existants dans la langue, mais également une ou plusieurs propositions de néologisme lorsque cela est nécessaire. On peut notamment y trouver : **tout-en-voiture** pour *drive-in*, **la nuit des revenants** pour *halloween*, **enfant de la Bourse** pour *golden boy*, **fille de couverture** pour *cover-girl*, **course bélier** pour *stock-car*, **tour des chaînes** pour *zapping*, etc.

Les emprunts acceptables

Gardons cependant à l'esprit que tout anglicisme n'est pas contestable en soi du seul fait de son origine anglo-saxonne. Les langues sont en constante évolution et profitent souvent de la circulation des mots entre cultures différentes. Les apports étrangers nous sont utiles lorsqu'ils respectent certains critères.

1. Le contenu sémantique n'est rendu par aucun mot français existant.

2. La construction d'un néologisme français à sens équivalent se révèle difficile.

3. La périphrase serait lourde.
4. Le mot anglais ne viole pas les règles essentielles de la graphie et de la prononciation, son introduction ne perturbe pas la cohérence générale de la langue (homonymie, par exemple).

Le français a ainsi accueilli tels quels *bar* (1857), *pull* (1930), *wagon* (1829) et les mots suivants au prix d'une francisation de la graphie : **boxe** issu de *box*, **balbuzard** de *bald buzzard* (1770), **bébé** de *baby* (1793), **bol** de *bowl* (1790), **désappointé** de *disappointed* (1761), **pamphlétaire** de *pamphleteer* (1791), etc.

Les xénismes, noms ou locutions décrivant une réalité attachée à un contexte étranger, sont des cas particuliers, car ils ont, pour ainsi dire, valeur de citation et ne peuvent être transposés en français. Il en va ainsi pour **cow-boy**, pour **lodge**, pour **pub**, pour **shérif** (graphie francisée), etc.

Autres emprunts

Le lecteur peut s'étonner que seuls les anglicismes soient traités, alors que les germanismes et les italianismes sont simplement ignorés. La vitalité et la fréquence d'emploi des emprunts anglais comparativement aux autres apports étrangers expliquent cela. Pas un seul jour ne passe sans qu'un nouveau vocable ou qu'une nouvelle locution nous vienne d'outre-

Atlantique. Même l'anglais britannique, aussi paradoxal que cela puisse paraître, se voit contaminé par les américanismes. Nos catalogues publicitaires ressemblent à des cours d'initiation à la langue anglaise. Pas un seul produit qui ne soit affublé d'un superlatif anglo-saxon qui frise parfois le ridicule. On peut y trouver : 106 *Open Pack*, lait de croissance *baby up*, valise *rolling*, fond de teint *non stop make up*, secrétaire *work*, organiseur *lexibook*, brise *touch & fresh*, rehausseur *booster Baby Relax* et ces incroyables *nuggets* de poulet douce France ! Que chacun y trouve son bonheur ! Mais le pire ne vient pas toujours d'où l'on croit : l'administration des Postes n'a, en effet, rien trouvé de mieux que d'écrire **Chronopost** sans *e*. Sans doute ont-ils oublié que l'élément latin *post-* signifie « après » (postdater, postposer). Dès lors, « chronopost » ne veut rien dire d'autre que « après le temps », une façon vraiment intelligente de préciser que votre courrier arrivera en retard, après l'heure !

Structure de l'ouvrage

Habituellement, les dictionnaires de substituts proposent les termes français en entrée, les mots anglais se trouvant en fin d'article. Un index inversé de l'anglais au français figure alors en fin d'ouvrage, cela pour permettre au lecteur de trouver – en deux étapes

– ce qu'il cherche véritablement. Le présent ouvrage fonctionne différemment. Il fait figurer en entrée les anglicismes afin de faciliter la recherche des substituts français groupés dans l'article. Cela répond à la logique. Aucune définition n'est donnée. Seul, parfois, un commentaire est joint pour éclaircir tel ou tel point. L'article va à l'essentiel, à savoir la liste des équivalents français par ordre d'importance et par groupe sémantique. Une large exemplification mettant en action les mots français permet au lecteur de se convaincre de la facilité d'usage de ces substituts.

Liste des signes utilisés et structure des articles

EXEMPLE — Un exemple en italique contenant l'équivalent français en petites majuscules apparaît en début d'article. Le lecteur peut se convaincre que les substituts français proposés sont aisément utilisables.

~~EXEMPLE~~ — Lorsque l'entrée présente un mot français victime d'un glissement de sens, les phrases exemples mettent en évidence le bon et le mauvais emploi du terme. Dans ce dernier cas, le mot sera barré.

1 –, 2 –... — Numéros correspondant aux différents niveaux de division de l'article

	lorsque l'anglicisme recouvre des sens ou des domaines très différents.
⇨	Présente un commentaire dont la fonction sert aussi à rappeler le contexte lorsque cela est nécessaire : FINANCE, INFORMATIQUE, GOLF, TENNIS, etc.
O	Introduit les substituts français.
–	Sépare les groupes sémantiques.
PROP. [...]	Indique que les mots entre crochets sont des propositions émises par l'auteur.
GLISSEMENT DE SENS	Informe le lecteur que le mot français placé en entrée tend à prendre une autre signification sous l'influence de l'anglais.
RECOMM. OFFIC.	Recommandation officielle.

ACE

1 – *Gagner le dernier point d'un jeu par un* AS.

⇨ TENNIS. L'*as* est un service gagnant dont la balle n'a pas pu être touchée par l'adversaire.

❍ As, PROP. [service blanc] – service gagnant.

2 – *Réaliser un* TROU EN UN *est rarissime.*

⇨ GOLF.

❍ Trou en un.

ACHÈVEMENT

⇨ GLISSEMENT DE SENS. *Achèvement* exprime en français l'action de finir, d'achever, mais, sous l'influence de l'anglais, il tend à prendre improprement le sens d'« accomplissement, réussite, succès ».

*L'*ACHÈVEMENT *ou la* FIN *des travaux.*
~~*L'*ACHÈVEMENT~~ *d'un vieux rêve : l'*ACCOMPLISSEMENT ou la RÉALISATION *d'un vieux rêve. MENER À BIEN une entreprise.*

ADMINISTRATION
⇨ GLISSEMENT DE SENS. L'*administration* désigne la *fonction publique*. Il est impropre d'utiliser *administration* pour désigner un gouvernement.
*Entrer dans l'*ADMINISTRATION *ou dans la* FONCTION PUBLIQUE.
L'~~ADMINISTRATION~~ *Clinton : le* GOUVERNEMENT *Clinton.*

AÉROBIC
Une heure de GYMNASTIQUE RYTHMIQUE.
⇨ Cette gymnastique consiste à effectuer des mouvements rapides et rythmés sur fond musical. On peut parler de *gym tonique*.
❍ Gymnastique rythmique, gym tonique.

AFTER-SHAVE
LOTION APRÈS-RASAGE. *Des* APRÈS-RASAGES.
⇨ *Après-rasage* a eu la bonne fortune de s'imposer rapidement dans notre vocabulaire, à tel point qu'*after-shave* semble définitivement relégué aux oubliettes des anglicismes.
❍ Lotion après-rasage, après-rasage.

AIDS

Le SIDA *est un fléau de notre époque.*

⇨ Sigle de syndrome immunodéficitaire acquis. Le VIH est le virus tenu pour l'agent responsable de la maladie du *sida.*

❍ Sida.

AIRBAG

Ce modèle est équipé en série de deux COUSSINS GONFLABLES *à l'avant, ainsi que de* COUSSINS GONFLABLES *latéraux. Un* SAC GONFLABLE DE SÉCURITÉ *prêt à vous réceptionner en douceur.*

❍ Coussin gonflable (de sécurité), sac gonflable de sécurité.

AIR CONDITIONNÉ

*Brancher l'*AIR CLIMATISÉ. *Hôtel* CLIMATISÉ. *La* CLIMATISATION *était tombée en panne.*

❍ Air climatisé, climatisation.

AIR FERRY

Une NAVETTE AÉRIENNE *relie Saint-Barthélemy à Saint-Martin.*

❍ RECOMM. OFFIC. bac aérien, navette aérienne, pont aérien.

ALIASING

Le CRÉNELAGE *désigne l'effet d'escalier qui enlaidit les graphiques. L'*ANTICRÉNELAGE *atténue la découpe* *en escalier des obliques à l'écran ; on parle aussi de* LISSAGE.

⇨ INFORMATIQUE. L'*anti-aliasing* se rend par *anti-crénelage*. *Crénelage* est proposé par la Commission générale de terminologie et de néologie.

○ Crénelage (et anticrénelage), lissage.

ALTERNATIVE

⇨ GLISSEMENT DE SENS. Il est impropre d'utiliser *alternative* dans le sens de « solution de remplacement », car en français, contrairement à l'anglais, ce mot désigne la situation qui offre deux solutions seulement. Il ne peut y avoir plusieurs alternatives car ce terme induit déjà l'idée qu'il n'y a que deux solutions. Il se remplace aisément par *de deux choses l'une, ou bien... ou bien...*

*Voici l'*ALTERNATIVE *dans laquelle je me trouve : me laisser mourir d'épuisement ou continuer à marcher pour retrouver mon campement.*

J'hésite entre ces deux ~~ALTERNATIVES~~ *: j'hésite entre ces deux* ÉVENTUALITÉS. *Peine* ~~ALTERNATIVE~~ *: peine* DE REMPLACEMENT. *Médecine* ~~ALTERNATIVE~~ *: médecine* PARALLÈLE.

A.M., P.M.

1 – *Réveillé à trois heures du* MATIN *par un coup de téléphone intempestif. Demain dans la* MATINÉE, *à la première heure.*

❍ Matin, matinée.

2 – *L'avion décolle à quinze heures, soit à trois heures de l'*APRÈS-MIDI. *Collation de quatre heures de l'*APRÈS-MIDI. *À deux heures* TANTÔT. *Je l'ai revue en* SOIRÉE. *Il est six heures du* SOIR.

⇨ Le sens moderne de *tantôt* est « cet après-midi ». *Venez tantôt prendre le thé.*

❍ Après-midi, tantôt, soir, soirée.

AMERICAN WAY OF LIFE

Le MODE DE VIE À L'AMÉRICAINE *en a fait rêver plus d'un.*

⇨ L'*American way of life* est un xénisme et peut à ce titre s'utiliser tel quel.

❍ Mode de vie à l'américaine.

ANTIDUMPING

Le PROTECTIONNISME *sert aussi à lutter contre les pratiques commerciales déloyales.*

❍ Protectionnisme, droits de compensation.

ANTIGANG

La brigade criminelle ainsi que la BRIGADE DE RECHERCHE ET D'INTERVENTION *étaient à pied d'œuvre dans cette affaire.*

⇨ La *brigade de recherche et d'intervention* est une brigade de la police judiciaire spécialisée dans la lutte contre les bandes organisées de malfaiteurs.

❍ Brigade de recherche et d'intervention ou B.R.I.

ANTISTRESS

Un massage aux vertus APAISANTES. *Flâner dans un parc par une belle journée ensoleillée reste encore le meilleur* CALMANT *que je connaisse.*

❍ Apaisant, calmant, rassérénant, PROP. [antisouci].

ANTITRUST

Promulgation d'une loi ANTICARTEL.

❍ PROP. [anticartel] – décartellisation.

APARTHEID

La POLITIQUE SÉGRÉGATIONNISTE *de l'Afrique du Sud a cessé d'être.*

⇨ Ce mot n'est pas issu de l'anglais mais de l'afrikaans.

❍ Ségrégationnisme, politique ségrégationniste.

APPLET

Les APPLIQUETTES *sont surtout employées dans le langage de programmation Java.*

⇨ INFORMATIQUE. *Appliquette* est proposé par la Commission générale de terminologie et de néologie.

❍ Appliquette.

AQUAPLANING

*L'*AQUAPLANAGE *est un phénomène souvent sous-estimé par les automobilistes.*

⇨ L'*aquaplane*, mot à partir duquel a été construit

aquaplanage, est une planche tirée par un canot et sur laquelle on se tient debout en s'aidant d'une corde. Il a préfiguré le ski nautique et tous les sports aquatiques de glisse.
○ RECOMM. OFFIC. aquaplanage, perte d'adhérence.

ARRAY
Le type de cette variable est une CHAÎNE *de caractères.*
⇨ INFORMATIQUE.
○ Chaîne.

ATTACHÉ-CASE
MALLETTE *en cuir.* MALLETTE *de représentant. Une* MALLETTE *pleine de billets. Des* PORTE-DOCUMENTS *à fermeture Éclair. « L'éternelle* SERVIETTE *pleine de papiers et de livres lui battait contre le flanc »* (Georges Duhamel).
⇨ La *serviette* comporte des poignées au contraire du *porte-document* qui n'en possède pas.
○ Mallette, serviette, porte-document.

AUBURN
Des cheveux CHÂTAINS *rehaussés de reflets cuivrés. Une chevelure d'un joli* BLOND VÉNITIEN. *Une jument* BAIE.
⇨ *Acajou* tient du brun rougeâtre, tandis que le *blond*

vénitien tire sur le roux. L'adjectif *bai* évoque une couleur brun rouge.
❍ Châtain, acajou, blond vénitien, bai.

AUDIT

Le CONTRÔLE *de la gestion d'une entreprise.* EXAMEN *des comptes. Cabinet de* VÉRIFICATION COMPTABLE.
❍ Contrôle, examen, enquête, diagnostic, vérification comptable (juridique, fiscale, etc.), expertise, évaluation.

AUDITEUR

⇨ GLISSEMENT DE SENS. Il est impropre d'utiliser *auditeur* dans le sens d'« expert-comptable », de « contrôleur de gestion », de « commissaire aux comptes », de « vérificateur ». L'*auditeur* n'est rien d'autre que celui qui écoute ou assiste à un cours.
Un EXPERT-COMPTABLE *chargé d'évaluer la valeur d'une entreprise. Les comptes d'une société vérifiés par un* CONTRÔLEUR DE GESTION.
Deux ~~AUDITEURS~~ *sont venus vérifier notre comptabilité : deux* COMMISSAIRES AUX COMPTES *sont venus vérifier notre comptabilité.*

AUDITIONNER

⇨ GLISSEMENT DE SENS. Il est impropre d'utiliser *auditionner* dans le sens d'« écouter, entendre », hors de tout contexte artistique. De plus, *auditionner*

s'emploie toujours en parlant d'un artiste et non de son œuvre.
Un artiste qui AUDITIONNE *pour la première fois.* AUDITIONNER *un jeune comédien.*
~~AUDITIONNER~~ *les protagonistes de cette affaire :* ENTENDRE *les protagonistes de cette affaire.* ~~AUDITIONNER~~ *un disque :* ÉCOUTER *un disque.*

AUTOFOCUS
Un appareil photo à FOCALE AUTOMATIQUE.
⇨ Le mot français *focale*, issu du mot latin *focus*, « foyer », est tout indiqué pour remplacer cet anglicisme.
❍ Focale automatique, mise au point automatique, autoréglable.

AUTO-REVERSE
Une radiocassette à LECTURE RÉVERSIBLE. *Un lecteur de cassettes à* AUTO-INVERSION.
❍ Lecture réversible, PROP. [auto-inversion].

AWARD
Décerner une DISTINCTION HONORIFIQUE. *La cérémonie de* REMISE DES PRIX. *Un film* PRIMÉ *au Festival de Venise. La* PALME *d'or du Festival de Cannes. Une* RÉCOMPENSE *honorifique.*
❍ Distinction honorifique, remise des prix, primer, palme, récompense.

BABA COOL

Des IDÉALISTES UTOPISTES *qui ont survécu aux années soixante. Un* APPRENTI SAGE *qui nous revient de l'Inde. C'est un* NON-VIOLENT *convaincu, un vrai* PACIFISTE *comme on n'en fait plus. Il fait très* PÈRE TRANQUILLE.

⇨ *Baba,* qui dérive de *bâbâ,* signifie « sage » en sanskrit et « père » en hindi. Soulignons que tous les idéalistes ne sont pas forcément utopistes !

O Idéaliste utopiste, PROP. [apprenti sage], rêveur, non-violent, pacifiste, père tranquille.

BABY

Un BÉBÉ *dans son berceau. Un* BÉBÉ *chien. Les* TOUT-PETITS. *Taille* ENFANT. *Taille* JUNIOR.

❍ Bébé, tout-petit, enfant, bambin, chérubin, nourrisson, junior, petite taille.

BABY-BOOM

La France a connu un PIC DE NATALITÉ *dans l'après-guerre.*

⇨ « Bébé-boum » n'est rien de plus qu'un calque servile de l'anglais ; il est donc écarté, tout comme l'est « baby-boum ». Notons qu'une *explosion démographique* s'applique à une plus large échelle qu'un *pic démographique* : celle d'un continent par exemple. – Dans la même logique, *papy-boom* peut se remplacer par *pic de troisième âge*.

❍ Pic de natalité, pic démographique, hausse ou envol de la natalité, explosion démographique – pic de troisième âge.

BABY-DOLL

Une FEMME-ENFANT *frivole.*

❍ Femme-enfant, bout de femme, nymphette, lolita – poupée.

BABY-FOOT

Jouer au FOOTBALL DE TABLE. *J'excelle à la fois au tennis de table et au* FOOTBALL DE TABLE.

⇨ Ce faux anglicisme est à remplacer, car le *baby-foot* s'appliquerait plutôt à un jeu de football pratiqué avec un nombre réduit de joueurs sur un terrain moins

étendu et pourvu de buts plus petits. Ce jeu habituellement pratiqué en salle est actuellement connu comme le football en salle et pourrait avantageusement s'appeler football junior. La même logique employée dans tennis de table est ici utilisée pour remplacer *baby-foot* par *football de table*. Notons que la langue anglaise utilise déjà *table football*. – Une proposition de substitution de l'anglicisme *football* est faite dans l'article qui lui est consacré.
❍ PROP. [football de table].

BABY RELAX
Installer un SIÈGE BÉBÉ *à l'arrière du véhicule.*
⇨ *Baby Relax* est une marque déposée.
❍ Siège enfant, siège bébé.

BABY-SITTER
Une GARDE-ENFANT *venait chez nous les soirs où nous sortions pour garder nos jeunes enfants. Se faire seconder par une jeune* GARDIENNE D'ENFANTS *aimable et attentionnée.*
⇨ La *gardienne d'enfants* est une personne chez qui l'on amène sa progéniture, tandis que le ou la *garde-enfant*, à l'image du garde-malade, se déplace chez soi pour remplir la même tâche.
❍ Garde-enfant, garde-bébé, gardienne d'enfants.

BABY-SITTING

La GARDE D'ENFANTS *est une activité réglementée.*

❍ Garde d'enfants.

BACKGROUND

1 – *La crise asiatique apparaît en* ARRIÈRE-PLAN *des actuelles négociations.*

❍ RECOMM. OFFIC. arrière-plan, toile de fond, cadre, contexte.

2 – *Ses* ORIGINES SOCIALES *le poursuivent encore. – Avoir une longue* EXPÉRIENCE. – *Médecin qui interroge un patient sur ses* ANTÉCÉDENTS. ANTÉCÉDENTS *pathologiques. L'héritage du* PASSÉ.

❍ Origine sociale, milieu social – formation, expérience, vécu, acquis – antécédent, passé.

BACK-OFFICE

Le SERVICE FINANCIER *d'une banque assure, entre autres, l'administration des titres.*

⇨ FINANCE.

❍ Service financier.

BACKUP

Il est sage de réaliser régulièrement des SAUVEGARDES DE SECOURS.

⇨ INFORMATIQUE.

❍ Sauvegarde (de secours), archivage, copie de secours.

BACON

Cinq tranches de FILET DE PORC FUMÉ, *s'il vous plaît.*

⇨ Il est à noter que le *filet de porc* dont il est question est pris dans le maigre.

❍ Filet de porc fumé.

BADGE

*Seules les personnes arborant l'*INSIGNE *de l'entreprise pourront assister à la démonstration. L'*ÉCUSSON *d'un militaire indique son affectation. – Ma* CARTE D'ACCÈS *est endommagée, heureusement j'emmène toujours avec moi un* PASSE.

❍ Insigne (de fonction), écusson, broche – carte d'accès, passe, laissez-passer.

BADMINTON

Jouer au VOLANT.

⇨ SPORT.

❍ Jeu de volant.

BAFFLE

Les ÉCRANS *d'une chaîne haute-fidélité.*

⇨ Ce mot ne désigne pas l'enceinte acoustique mais un panneau interne destiné à améliorer la sonorité du haut-parleur.

❍ RECOMM. OFFIC. écran.

BALLON
⇨ GLISSEMENT DE SENS. Préférez l'emploi de *bulle* plutôt que de *ballon* (*balloon* en anglais) lorsqu'il s'agit de désigner l'espace délimité attribué aux paroles des personnages d'une bande dessinée.
~~BALLONS~~ *des bandes dessinées : bulles des bandes dessinées.*

BALL-TRAP
Il excellait au TIR AU PIGEON D'ARGILE.
⇨ SPORT.
❍ Tir au pigeon d'argile.

BANANA SPLIT
Déguster une BANANE MELBA.
⇨ La préparation Melba consiste en une base de glace à la vanille nappée d'une crème Chantilly garnie d'amandes effilées. Traditionnellement le *banana split* est accompagné d'amandes pilées.
❍ Banane Melba.

BANG
Une violente DÉFLAGRATION *s'est fait entendre peu avant midi. « Le nom de chaque invité, qu'un suisse étincelant saluait chaque fois du* BING *de sa hallebarde sur les dalles »* (Alphonse Daudet).
⇨ La langue française préfère un *boum* ou un *bing*, plus doux, moins ample.
❍ Déflagration, détonation, boum, bing.

BAR

Il est accoudé au COMPTOIR. – DÉBIT DE BOISSONS *où l'on sert de l'alcool. Prendre un verre dans un* ESTAMINET.

⇨ Son implantation depuis le XIXe siècle et sa morphologie rendent *bar* parfaitement acceptable. Notez que le *bar* est aussi un poisson marin et une unité de mesure de la pression.

❍ Comptoir, zinc – débit de boissons, estaminet, buvette, taverne, café.

BARBECUE

Griller une viande au BRAISIER. *Être invité à un* BRAISIER.

⇨ Lorsque l'élément de cuisson est une pierre brûlante, on parle de *pierrade*.

❍ PROP. [braisier] – pierrade.

BAREFOOT

Il s'entraîne au SKI NU-PIEDS *sur le lac.*

⇨ SPORT.

❍ PROP. [ski (nautique) nu-pieds].

BARMAID

La SERVEUSE DE COMPTOIR *était plutôt jolie.*

❍ Serveuse de comptoir.

BARMAN

Demander l'addition au SERVEUR DE COMPTOIR.

❍ Serveur de comptoir – garçon de café.

BASE-BALL

⇨ Pour les puristes : jeu de batte américain, le jeu de batte anglais étant le cricket.

BASIQUE

Le français FONDAMENTAL. *Couleurs* PRIMAIRES. *Pulsions* PRIMITIVES.

❍ Fondamental, de base, essentiel, primitif, primaire.

BASKET

Une paire de CHAUSSURES DE SPORT.

⇨ La chaussure de *basket* est spécialement conçue pour ce sport ; elle moule la cheville. Il est préférable d'utiliser l'expression *chaussure de sport* lorsque celle-ci n'est pas destinée à une discipline en particulier.

❍ Chaussure de sport.

BASKET-BALL

⇨ SPORT. Pour les puristes : balle au panier.

BATTLE-DRESS

Soldat en TREILLIS.

❍ Treillis, blouson militaire, tenue militaire, tenue de campagne.

BAY-WINDOW

Une immense BAIE VITRÉE *laissait entrer la lumière dans la maison.*

⇨ Notons que cette *baie vitrée* n'est pas construite en saillie. Si c'était le cas, il s'agirait d'un *bow-window*. Voir aussi ce mot.

❍ Baie vitrée, RECOMM. OFFIC. oriel sur le pan.

BAZOOKA

Un fantassin équipé d'un LANCE-ROQUETTE.

❍ Lance-roquette (antichar).

BEATNIK

C'est un ANTICONFORMISTE *notoire.*

❍ Anticonformiste, marginal, contestataire.

BED & BREAKFAST

Séjourner en CHAMBRE D'HÔTE. *Réserver un* CAFÉ-COUETTE *recommandé par le guide.*

❍ Chambre d'hôte, maison d'hôte, café-couette.

BEEFSTEAK

Des BIFTECKS *hachés. Un* STEAK *de cheval.*

⇨ *Steak* est préférable à *bifteck* pour toutes les viandes autres que celle du bœuf. *Steak* s'écrit sans *c*.

❍ Bifteck, steak, tranche de bœuf.

BEEPER

J'ai laissé mon BIPEUR *dans ma veste.*

⇨ Le signal sonore *bip* permet de construire le mot *bipeur.*

❍ Bipeur.

BENCHMARK

Cette revue d'informatique publie un TABLEAU COMPARATIF *des ordinateurs les plus récents.*

⇨ INFORMATIQUE.

❍ Tableau comparatif, évaluation de performance, banc d'essai, repère, référence.

BENJI

Pratiquer le SAUT À L'ÉLASTIQUE *n'est pas sans conséquences néfastes pour l'intégrité de la rétine.*

❍ Saut à l'élastique.

BEST OF

La COMPILATION *des succès d'une chanteuse. Mylène Farmer :* MORCEAUX CHOISIS. *Les* TEMPS FORTS *du championnat. Ce passage est digne de figurer dans l'*ANTHOLOGIE *du cinéma.*

❍ Compilation, morceaux choisis, temps forts, florilège, meilleurs moments, le meilleur de, anthologie.

BEST-SELLER

Ce livre figure parmi nos MEILLEURES VENTES. *Il ne lit que des* SUCCÈS DE LIBRAIRIE. *– Le prix Goncourt* *a beau être un* LIVRE-ÉVÉNEMENT, *il n'est pas forcément synonyme de* RECORD DE VENTE.

⇨ Un succès d'estime ou un succès médiatique indique que le produit a été apprécié par la critique pour ses qualités mais s'est, le plus souvent, assez mal vendu.

❍ Meilleure vente, succès de librairie (ou d'édition, ou de presse), record de vente, livre à succès – livre-événement.

BIG BANG

1 – *La mise en place de l'euro devrait créer une* ONDE DE CHOC *salutaire pour l'Europe. Un véritable* SÉISME *politique. – Une* RÉFORME *complète du système. – L'*ÉCLATEMENT *de toutes les valeurs traditionnelles marque notre époque. – Les passants ont entendu une double* DÉTONATION.

❍ Onde de choc, séisme, grand chambardement, révolution – réforme, renouveau, régénération – effondrement, éclatement – détonation, déflagration, explosion.

2 – *L'*EXPLOSION ORIGINELLE *qui fut à l'origine de l'Univers.*

⇨ THÉORIE COSMOLOGIQUE.

❍ Explosion originelle, chaos primitif.

BIG BROTHER

Où que vous alliez, quoi que vous fassiez, le GRAND INQUISITEUR *vous surveille.*

⇨ Peut être accepté comme xénisme.

❍ Grand inquisiteur, pouvoir inquisitorial, puissance tutélaire, l'État omniprésent et omnipotent, l'État surveillant.

BIKINI

Sandrine portait un MAILLOT DEUX-PIÈCES *affriolant et très échancré.*

⇨ *Bikini* est une marque déposée.

❍ Deux-pièces, maillot deux-pièces.

BILLION

Un BILLION *dans la bouche d'un Français ou d'un Anglais n'a pas le même poids que dans celle d'un Américain.*

⇨ FINANCE. La nouvelle acception, depuis 1948, de *billion* est « un million de millions », soit dix à la puissance douze. Il faut éviter la confusion avec le *billion* américain qui équivaut à un milliard, soit dix à la puissance neuf.

BIRDIE

J'ai réalisé un OISELET *sur le trou numéro quatre. Mon adversaire avait réalisé lui aussi un* MOINS-UN *au trou précédent.*

⇨ GOLF.
○ Oiselet, moins-un.

BIRTH CONTROL

Une MAÎTRISE DE LA FÉCONDITÉ *est vitale pour endiguer la famine dans le monde.*
⇨ N'utilisez pas contrôle des naissances, car un contrôle n'est en français rien d'autre qu'une vérification.
○ Maîtrise de la fécondité, régulation des naissances, limitation des naissances.

BIT

Un octet se compose de huit BOUTS. *Un programme trente-deux* BOUTS *pour Windows 95.*
⇨ INFORMATIQUE. Pourquoi ne pourrait-on pas imaginer remplacer *bit* par *bout*, qui en est pourtant bien le sens ? Il s'agit en effet de la plus petite unité d'information utilisée en informatique.
○ PROP. [bout (électronique)], élément binaire.

BITMAP

Ce périphérique travaille en mode MATRICIEL. *Une police de caractères* POINT PAR POINT.
⇨ INFORMATIQUE. Un *bitmap* est *une matrice de points*. *Bitmap* s'oppose à vectoriel en ce sens qu'il désigne une matrice ou une trame composée de points et non de lignes.
○ Matrice de points, matriciel, point par point.

BITTER

Chocolat AMER *riche de 70 % de cacao fin. Un* AMER *au citron. La légère* AMERTUME *de cette boisson tonique plaît à certains consommateurs.*

❍ Amer, amertume.

BLACKBOULAGE

La MISE EN MINORITÉ *du candidat.* ÉVICTION *du chef d'un parti.*

❍ Mise en minorité, éviction, mise à l'écart, rejet.

BLACKBOULER

L'Assemblée a MIS *le ministère* EN MINORITÉ. *Il est parvenu à l'*ÉVINCER *de cette place. Candidat* ÉCARTÉ *du pouvoir.*

❍ Mettre en minorité, évincer, écarter, renvoyer, éconduire, exclure, déposséder, congédier, licencier, remercier.

BLACKJACK

Jouer au VINGT-ET-UN.

❍ Vingt-et-un – valet de pique.

BLACK-OUT

Respecter le SILENCE RADIO. *Décréter le* COUVRE-FEU. *– Le gouvernement s'est employé à* OCCULTER *un nouveau décret en matière fiscale.* SILENCE *gardé sur une nouvelle ou sur les motifs d'une décision politique.*

L'affaire a été ÉTOUFFÉE. – *Une panne d'électricité générale a plongé la ville dans l'*OBSCURITÉ TOTALE. *Être dans le* NOIR *le plus* COMPLET.

❍ Silence radio, couvre-feu – occultation, dissimulation, étouffement, silence, mutisme, secret – obscurité totale, noir complet.

BLEND

Ce thé est un MÉLANGE *irlandais.* MÉLANGE *de la reine. La* COMBINAISON *de différents arabicas.* MARIAGE *d'arabica et de robusta.*

❍ Mélange, combinaison, mariage des saveurs.

BLISTER

Une barquette de viande SOUS CELLOPHANE. *Médicaments conditionnés dans un* EMBALLAGE HERMÉTIQUE. *Aliment* SOUS VIDE. *L'*ENVELOPPE ISOLANTE *de la seringue était partiellement déchirée.*

⇨ *Cellophane* est une marque déposée.

❍ Sous Cellophane, sous vide, emballage hermétique, enveloppe isolante.

BLIZZARD

Un VENT GLACIAL *fouettait nos visages. Pris dans la* TOURMENTE.

⇨ Le *blizzard* qui souffle dans le grand Nord canadien est nommé *poudrerie* par les Canadiens franco-

phones en raison des tourbillons de neige fine soulevée par le vent.
❍ Vent glacial, tempête de neige, tourmente – poudrerie.

BLOODY MARY
Servez-moi une VODKA-TOMATE.
❍ Vodka-tomate.

BLOOMER
L'enfant était revêtu d'une CULOTTE BOUFFANTE.
❍ Culotte bouffante.

BLUE CHIP
Les VALEURS VEDETTES *accusent un net recul.*
⇨ FINANCE.
❍ Valeur vedette, valeur boursière de premier ordre.

BLUE-JEAN, JEAN
Porter un BLEU-DE-NÎMES. *Un* PANTALON DE TOILE *bleu déchiré aux genoux. Une* VESTE EN TOILE.
⇨ L'étymologie du mot anglais *denim* est « de la ville de Nîmes », où historiquement était fabriqué ce tissu sergé, alors que la teinture, un bleu indigo, était produite dans la ville de Gênes, d'où *jean* par une prononciation anglaise. Voir aussi *denim*.
❍ PROP. [bleu-de-Nîmes], pantalon de toile, veste en toile.

BLUES

J'ai eu un coup de VAGUE À L'ÂME. *« La* MÉLANCOLIE, *c'est le bonheur d'être triste »* (Victor Hugo). – *Il fredonnait une* COMPLAINTE.

❍ Vague à l'âme, mélancolie, déprime, apathie, cafard – complainte, cantilène.

BLUFF

Il y est allé au CULOT. *Un* APLOMB *imperturbable. « Un discours plein de* HÂBLERIES, *d'exagérations et de* RODOMONTADES » (Théophile Gautier). *« Il aimait jeter de la* POUDRE AUX YEUX *et confondait volontiers être avec paraître »* (Romain Rolland).

❍ Culot, aplomb, tromperie artificieuse, hâblerie, poudre aux yeux, vantardise, rodomontade.

BLUFFER

Il cherche à FAIRE ILLUSION. *Se laisser* DUPER. *Il l'a* TROMPÉ *sur toute la ligne.*

❍ Faire illusion, duper, leurrer, tromper, induire en erreur, laisser croire que, chercher à éblouir, abuser.

BLUFFEUR

Un BONIMENTEUR *de première. Ce n'est qu'un* HÂBLEUR.

❍ Bonimenteur, menteur, hâbleur.

BLUSH

Une touche de FARD À JOUES.

❍ Fard à joues, fond de teint, poudre.

BOAT PEOPLE
L'afflux massif de RÉFUGIÉS D'OUTRE-MER.
❍ Réfugié d'outre-mer.

BODY
Un JUSTAUCORPS *de dentelle. Une* BRASSIÈRE *pour bébé.*
❍ Justaucorps, brassière.

BODY BODY
Cet institut propose des MASSAGES CORPS À CORPS.
❍ Massage corps à corps.

BODYBUILDING
Fervent amateur de CULTURISME. *Salle de* MUSCULATION.
❍ Culturisme, musculation.

BONDAGE
Un goût pervers pour le LIGOTAGE.
❍ Pratique du ligotage.

BOOK, PRESS-BOOK
Il s'est constitué au fil du temps un important DOSSIER DE PRESSE. – *La maison de couture lui a demandé son* LIVRE-ALBUM *pour évaluer sa photogénie.*
❍ Dossier de presse, coupures de presse – livre-album, livre de présentation, dossier de mannequin, album photographique.

BOOKER

Tout est RÉSERVÉ *pour les vacances de Noël.*

⇨ *Booker* appartient au registre familier.

❍ Réserver, louer.

BOOKMAKER

Les PRENEURS DE PARIS *aux abords du champ de courses.*

❍ Preneur de paris.

BOOKMARK

Se repositionner dans un texte informatique grâce à un SIGNET.

⇨ INFORMATIQUE. *Signet* est proposé par la Commission générale de terminologie et de néologie.

❍ Signet.

BOOM

Une FLAMBÉE *des prix. En pleine* EUPHORIE. *La vente d'ordinateurs grand public a fait un* BOND. *Une* HAUSSE *inattendue de la consommation intérieure. En pleine* EXPANSION.

❍ Flambée, euphorie, bond, boum, hausse (subite ou soudaine), expansion, relance.

BOOMERANG

Effet EN RETOUR. *Attention au* RETOUR DE MANIVELLE. *Un* RETOURNEMENT DE SITUATION *plutôt cocasse.*

⇨ Sens figuré.

○ En retour, retour de manivelle (ou de flamme, ou de bâton), retournement de situation, contrecoup, contre-choc, répercussion.

BOOSTER

1 – *La fusée Ariane est équipée de deux* PROPULSEURS AUXILIAIRES.

○ RECOMM. OFFIC. propulseur auxiliaire, fusée d'appoint – RECOMM. OFFIC. accélérateur – RECOMM. OFFIC. suramplificateur.

2 – *L'économie a besoin d'être* STIMULÉE. DONNER UN COUP DE FOUET *aux ventes.*

○ Stimuler, donner un coup de fouet, fouetter, gonfler, relancer, encourager, augmenter, promouvoir, propulser.

BOOT, BOOT UP

*Un problème est survenu lors de l'*AMORCE *de l'ordinateur.*

⇨ INFORMATIQUE. *Amorce* est proposé par la Commission générale de terminologie et de néologie. L'*amorce* est le programme informatique résident qui s'exécute lors du *démarrage* de l'ordinateur.

○ Amorce, mise en route, mise en marche, démarrage.

BOOTER

AMORCER *l'ordinateur.*

⇨ INFORMATIQUE.

❍ Amorcer.

BOOTS

« Marche un peu que je les voie remuer, que je les voie vivre, tes petites BOTTINES » (Octave Mirbeau).

⇨ Voir aussi *snow-boot.*

❍ Bottines, bottillons.

BOSS

Il faut demander cela au CHEF. *Il se prenait pour le* GÉNÉRAL EN CHEF.

❍ Chef, patron, grand chef, général en chef, supérieur, responsable, président, directeur.

BOWLING

Jouer aux QUILLES. *Aller dans un* ÉTABLISSEMENT DE JEU DE QUILLES.

❍ Jeu de quilles, établissement de jeu de quilles.

BOW-WINDOW

Une FENÊTRE EN ENCORBELLEMENT *donnait sur le jardin. Deux* ORIELS *apportaient un je-ne-sais-quoi d'anglais à cette gentilhommière.*

❍ RECOMM. OFFIC. oriel, oriel en surplomb, fenêtre en encorbellement.

BOX

Louer un EMPLACEMENT *dans un garage. Le* BANC *des accusés. – La* STALLE *de l'étalon.*

❍ Emplacement, compartiment, case, banc (des accusés), réduit, remise – stalle.

BOXE

⇨ Pour les puristes : pugilat, savate, noble art.

BOXER-SHORT

❍ Flottant, culotte de boxeur.

BOXEUR

⇨ Pour les puristes : pugiliste.

BOX-OFFICE

Figurer au PALMARÈS DES MEILLEURES VENTES.

❍ Palmarès des meilleures ventes, cote de succès des spectacles.

BOY

1 – *Mon* EMPLOYÉ DE MAISON *se chargera de cela.*

❍ Domestique, employé de maison, laquais, valet, homme à tout faire, homme de peine, journalier.

2 – *Je suis* DANSEUR DE VARIÉTÉS *dans une troupe célèbre.*

❍ Danseur de variétés.

BOYCOTT, BOYCOTTAGE

Le REJET *des OGM par la paysannerie française. La* MISE À L'ÉCART *d'un membre de la corporation. Le*

BLOCUS *économique qui frappait ce pays durait depuis maintenant quatre ans.*
❍ Rejet, refus, mise à l'écart, isolement, ostracisme, blocus, embargo.

BOYCOTTER
REFUSER DE PARTICIPER *aux élections. Les défenseurs de la nature ont décidé de* METTRE À L'INDEX *les revendeurs de fourrure.*
❍ Rejeter, refuser (de participer, de prendre part, de traiter), mettre à l'index (au ban, sur la touche), tenir à l'écart, isoler, exclure, suspendre toute relation.

BOY-SCOUT
Un camp de LOUVETEAUX. *Les* ÉCLAIREURS *de France.* – *Il a un petit côté* NAÏF *malgré ses bonnes intentions.*
❍ Louveteau, pionnier, éclaireur, guide, jeannette – naïf.

BRAINSTORMING
Convoquer ses collaborateurs en ATELIER DE RÉFLEXION.
❍ Atelier de réflexion, RECOMM. OFFIC. remue-méninges, séance de travail.

BREAK
1 – *Faire une* PAUSE. *Une courte* HALTE.
❍ Pause, interruption, récréation, coupure, halte.
2 – *Ce modèle existe aussi en* BERLINE FAMILIALE.

Une Renault MONOCORPS. *Une Volvo* FAMILIALE. – *La* FOURGONNETTE *du postier.*

⇨ La *berline familiale* est une berline dont la taille est rallongée pour accueillir une famille et un plus grand volume de bagages. Le terme anglais *break*, dont l'origine est « briser, casser », est impropre pour désigner ce qui est en fait plus long et plus spacieux.

○ Berline familiale, monocorps, familiale, berline à hayon – fourgonnette, commerciale, utilitaire.

3 – *Avoir deux* BALLES DE BRÈCHE *sur le service adverse.*

⇨ TENNIS.

○ RECOMM. OFFIC. Brèche, balle de brèche.

BREAK-DOWN

Le vice caché de l'an 2000 ne fut pas la plus grande PANNE *de l'histoire.*

○ Panne, coupure, microcoupure.

BREAKER

FAIRE LA BRÈCHE *d'entrée. Il a* PRIS LE SERVICE ADVERSE *à deux reprises dans cette manche.*

⇨ TENNIS.

○ Faire la brèche, prendre le service adverse – creuser l'écart.

BREAKFAST

Le PETIT DÉJEUNER ANGLAIS *est plus copieux que notre petit déjeuner dit continental.*

❍ Petit déjeuner anglais (ou à l'anglaise).

BRIDGE

Mon dentiste m'a posé un PONT *de quatre éléments.*

⇨ DENTISTERIE. Il est à noter que *pont* tend définitivement à s'imposer devant *bridge* au sein de cette corporation. Tout n'est pas perdu pour notre langue !

❍ Pont, prothèse fixe.

BRIEFER

DONNER DES INSTRUCTIONS. *Voici mes dernières* CONSIGNES. RECEVOIR DES DIRECTIVES *très précises. – Veuillez me* TENIR AU COURANT *des développements de cette affaire. Nous avons* FAIT LE POINT *sur cette affaire en comité restreint.*

❍ Donner ou recevoir des instructions (des consignes, des directives), notifier, instruire – mettre ou tenir au courant (ou au fait de), tenir informé, faire le point, passer en revue, avertir, renseigner, porter à la connaissance.

BRIEFING

Une RÉUNION D'INFORMATION avant une mission. Recevoir ses INSTRUCTIONS lors de la SÉANCE PRÉPARATOIRE. Un entraîneur donne ses dernières

CONSIGNES avant une rencontre. L'EXPOSÉ de la situation. – À la suite de cet événement, les autorités organisèrent un POINT DE PRESSE.

○ Réunion d'information, réunion ou séance préparatoire, instruction, directive, consigne, exposé, revue de détail – mise au courant (ou au point, ou au clair), point de presse, RECOMM. OFFIC. un bref.

BRISTOL

Déposer, laisser sa CARTE. *Joindre une* CARTE DE VISITE *à un bouquet de fleurs. Lettre,* CARTON D'INVITATION.

○ Carte, carte de visite, carte d'invitation, carton d'invitation.

BROKER, STOCK BROKER

Donner un ordre d'achat à son COURTIER EN BOURSE.

⇨ FINANCE.

○ RECOMM. OFFIC. courtier (en Bourse), agent de change, intermédiaire financier.

BROOK

Franchir le FOSSÉ D'EAU.

⇨ HIPPISME.

○ Fossé d'eau, obstacle d'eau.

BROWNIE

Un PAVÉ AU CHOCOLAT *et aux noix.*

○ Pavé au chocolat.

BROWSER

Il est indispensable de posséder un LOGICIEL DE NAVIGATION *pour découvrir l'Internet.*

⇨ INFORMATIQUE. *Logiciel de navigation* est proposé par la Commission générale de terminologie et de néologie.

○ Logiciel de navigation, navigateur.

BRUNCH

En fin de semaine, ce restaurant servait des PETITS DÉJEUNERS TARDIFS.

○ Petit déjeuner tardif, repas de matinée.

BRUSHING

Se faire faire une MISE EN PLIS *chez son coiffeur.*

⇨ *Brushing* est une création française qu'un Anglo-Saxon aurait du mal à comprendre.

○ Mise en plis, thermobrossage.

BUFFER

Une MÉMOIRE TAMPON *est nécessaire pour supprimer les à-coups d'une transmission par une mise en réserve temporaire des données.*

⇨ INFORMATIQUE.

○ Mémoire tampon.

BUG

La COQUILLE *de l'an 2000. Notre programme présente des dysfonctionnements, il s'y trouve un* NŒUD *! Il y* *a un* VICE CACHÉ *dans ce programme. – Une* MINE LOGIQUE *avait été sciemment introduite dans le programme informatique. – Une* DÉFAILLANCE *du système est à prévoir.*

⇨ INFORMATIQUE. Une erreur de programmation est à l'informatique ce que la faute typographique (*coquille*) est à l'imprimerie. Les lignes de code d'un programme informatique sont un peu à l'image d'un réseau routier très dense offrant au fil de l'exécution la possibilité d'emprunter tel ou tel de ses embranchements. L'effet « spaghetti » apparaît lorsque le programmeur n'est plus en mesure de maîtriser la complexité de son programme, toute condition requise pour provoquer à son insu des *nœuds* (*bug*) propices aux *dysfonctionnements* les plus variés. Il s'agit alors pour lui de corriger son programme, c'est-à-dire de le dénouer (*débuger*). L'informatique, par son caractère mathématique et logique, peut pleinement justifier l'usage d'*impair* dans ce contexte d'erreur de programmation. Rappelons que bogue désigne l'enveloppe de la châtaigne et qu'il ne peut servir à rendre *bug* en français. Voir aussi *débuger*.

○ Coquille, nœud, vice caché, défaut ou erreur de conception, bourde, bavure, bévue, impair, accroc, faille – mine logique, virus informatique – défaillance, anomalie, dysfonctionnement, raté.

BUGER

Ce programme est VÉROLÉ. *D'importants fichiers informatiques ont été* INFECTÉS.

○ Véroler, infecter.

BUILDING

La TOUR *Montparnasse. Manhattan n'est rien d'autre qu'une forêt de* GRATTE-CIEL.

○ Tour, gratte-ciel, immeuble, bâtisse, édifice.

BULLDOG

Tout aussi aimable qu'un BOULEDOGUE.

○ Bouledogue.

BULLDOZER

Une PELLETEUSE *retournait la terre.*

○ RECOMM. OFFIC. bouteur, pelleteuse, pelle mécanique, engin de terrassement.

BUN

Des PETITS PAINS BRIOCHÉS.

○ Brioche, petit pain au lait, petit pain brioché.

BUNGALOW

Cet hôtel tropical loge ses clients dans des PAILLOTES *dispersées dans une cocoteraie.*

⇨ La rocambolesque affaire de la « paillote de Francis » a au moins eu le mérite de remettre *paillote* dans la course qui l'oppose à *bungalow*.

❍ Paillote, case, pavillon, cabane, maisonnette, chaumière, chalet.

BUNKER

*Malheureusement, sa balle avait atterri dans l'*ENSABLE.

⇨ GOLF.

❍ Ensable.

BUS

Les AUTOBUS *d'une ville, les* AUTOCARS *de la campagne.*

⇨ *Autobus* pour les trajets courts, *autocar* pour les trajets longs.

❍ Autobus, autocar.

BUSINESS

Dans quel secteur travaille-t-il ? Dans le MONDE DES AFFAIRES. *Ce sont mes* AFFAIRES, *pas les tiennes. Un drôle de* COMMERCE.

❍ Monde des affaires, affaire, commerce, trafic.

BUSINESS CENTER

Le siège social de l'entreprise se situe au troisième étage de ce CENTRE D'AFFAIRES.

❍ Centre d'affaires.

BUSINESS CLASS

Voyager en CLASSE AFFAIRES.

❍ Classe affaires.

BUSINESSMAN, BUSINESSMEN

Des HOMMES D'AFFAIRES *en pleine action : ils déjeunent !*

○ Homme d'affaires, gens d'affaires.

BUSINESS PLAN

Le PLAN DE DÉVELOPPEMENT *présenté était irréprochable et a su convaincre les investisseurs.*

○ Plan de développement, projet de lancement, projection de chiffre d'affaires.

BUSINESS SCHOOL

Il envoya ses deux fils étudier dans une ÉCOLE DE COMMERCE *réputée.*

○ École de commerce, école supérieure de commerce (ou de gestion).

BUSINESS TO BUSINESS (B TO B)

Le COMMERCE INTERENTREPRISES.

⇨ Ce terme se voit souvent écrit sous sa forme abrégée *B to B.*

○ Commerce interentreprises, interentreprise(s).

BUSINESSWOMAN, BUSINESSWOMEN

Une FEMME D'AFFAIRES *qui a su se faire respecter.*

○ Femme d'affaires.

BYE-BYE

AU REVOIR. À BIENTÔT, *ma chérie !*

○ Au revoir, salut, à bientôt, à la prochaine, adieu.

BY NIGHT

Visiter Paris DE NUIT. *Jouer* EN NOCTURNE.

○ De nuit, en nocturne.

BY-PASS

Une boîte de DÉRIVATION. *Un* CONTOURNEMENT *routier.* – PONTAGE *coronarien.*

○ Dérivation, déviation, contournement, circuit de contournement, évitement – pontage.

BYTE

*Un disque dur d'une capacité de quatre giga*OCTETS.

⇨ INFORMATIQUE.

○ Octet.

CABIN-CRUISER

Un couple de retraités s'est offert une mémorable escapade sur un NAVIRE DE CROISIÈRE.

❍ Navire de croisière.

CADDIE

1 – *Présenter un* CHARIOT *rempli de victuailles à la caissière. Pousser son* CHARIOT À BAGAGES *dans les couloirs de l'aéroport.*

⇨ Caddie est une marque déposée.

❍ Chariot, chariot à bagages.

2 – *Ma* CADETTE *m'avait pourtant conseillé de tenter l'oiselet sur le trou numéro trois en utilisant le bois un.*

⇨ GOLF.
❍ Cadet ou cadette.

CAKE
Un moule à GÂTEAU. *Une tranche de* GÉNOISE. *Un* PAVÉ *au chocolat.* – GÂTEAU MARBRÉ *en forme de* LINGOT. *Mascara en* LINGOT.
⇨ La culture culinaire française est trop riche pour que nous ne puissions trouver de quoi remplacer ce mot. De par sa forme et sa compacité, le *cake* se rapproche du *pavé* et du *lingot*.
❍ Gâteau, biscuit, pavé, sablé, quatre-quarts, marbré, génoise, grenoblois, bûche, pithiviers – pavé, lingot.

CALL-GIRL
Passer la nuit avec une FILLE DE RENDEZ-VOUS.
❍ PROP. [fille de rendez-vous], putain de luxe, gourgandine, catin, demi-mondaine, courtisane.

CAMERAMAN
PRENEUR D'IMAGE *n'est pas un métier de tout repos.*
⇨ *Preneur d'image* se construit naturellement sur preneur de son.
❍ Preneur d'image, opérateur de prise de vue, RECOMM. OFFIC. cadreur.

CAMPING

CAMPERIE de bord de mer. *Un* CAMP DE TOILE *propret. Matériel de* CAMPEMENT. *Passer l'été dans un* CAMP DE VACANCES.

⇨ *Camperie* est construit à partir de *camp* auquel on a rajouté le suffixe *-erie*, comme pour bijouterie, capitainerie, pâtisserie, poissonnerie, rôtisserie. On distingue la *camperie* du *campement*, ce dernier restant nettement plus sommaire. *Camp de vacances* est construit sur le même modèle que camp de nudistes et village de vacances. Il ne faut néanmoins pas le confondre avec la colonie de vacances qui est spécialement destinée aux enfants.

❍ PROP. [camperie ou tenterie], camp de toile, campement, bivouac, camp de vacances, camp d'été.

CAMPING (FAIRE DU)

Nous allons CAMPER *cet été en Provence.* CAMPAGE *strictement interdit.* ESTIVER SOUS LA TOILE *fait partie des rêves de tout adolescent.*

⇨ Distinguons l'action (verbe *camper*, comme, par exemple, « afficher ») de l'activité (*campage*, comme « affichage »). La dimension touristique ne se retrouve ni dans bivouaquer ni dans dormir à la belle étoile.

❍ Camper, PROP. [campage], estiver sous la toile, dormir sous la toile.

CAMPING-CAR

Découvrir les grands espaces nordiques en AUTO-CARAVANE *semble être la bonne formule.*

❍ RECOMM. OFFIC. auto-caravane.

Voir aussi *mobile home*.

CAMPING-GAZ

Un RÉCHAUD DE CAMPAGNE *facilite grandement la vie du campeur.*

⇨ Camping-gaz est une marque déposée. *Réchaud de campagne* est construit sur le modèle de téléphone de campagne.

❍ Réchaud de campagne, réchaud à gaz, réchaud portatif.

CAN

Les débris de verre d'une CANETTE *de bière brisée. – Une* BOÎTE *de Coca-Cola.*

⇨ Lorsque le récipient est en verre, *canette* est approprié. Lorsqu'il est métallique, *conserve* ou *boîte* s'impose.

❍ Canette – conserve, boîte.

CANYONING

La DESCENTE DE TORRENT *reste un sport dangereux. Faire de la* TORRENTE *dans les Pyrénées espagnoles.*

⇨ *Canyoning* est un bel exemple de franglais dont on peut aisément se passer. La *descente de torrent* se

calque sur la descente de rapide (*rafting* en anglais) et la *désescalade* sur l'escalade, dont c'est le pendant.
❍ Descente de torrent, randonnée aquatique en torrent, nage en eau vive, désescalade de torrent, PROP. [torrente].

CARAVANING

Le CARAVANAGE *est un moyen économique de partir en vacances.*
❍ RECOMM. OFFIC. caravanage.

CAR-FERRY

Les fjords norvégiens se franchissent en BAC.
⇨ Le bac, bateau à fond plat, sert à passer un cours d'eau, un lac ou un bras de mer pour une courte traversée. Voir aussi *ferry-boat.*
❍ Bac, traversier (Québec).

CARGO

La Manche se couvre de NAVIRES DE FRET *de toutes origines.*
❍ Navire de fret, fruitier, charbonnier, méthanier, pétrolier, porte-conteneur.

CAR POOLING

La grève des transports stimule mécaniquement le COVOITURAGE.
❍ Covoiturage.

CAR SHOW

Trois mille deux cent cinquante visiteurs étaient venus admirer ce SALON AUTOMOBILE *régional.*

❍ Salon ou exposition automobile.

CARTOON

L'avenir du DESSIN ANIMÉ *est sans nuage.*

❍ Dessin animé, bande dessinée, illustration, vignette.

CASH

Payer COMPTANT. – *Je paye* EN ESPÈCES, *c'est-à-dire en* LIQUIDE. *Paiement en* NUMÉRAIRE.

⇨ Un paiement *en espèces* est un paiement en argent plutôt qu'en nature. Par extension, il désigne l'argent liquide en opposition aux chèques ou autres procédés.

❍ Comptant – en espèces, liquide, numéraire.

CASH-AND-CARRY

S'approvisionner dans un LIBRE-SERVICE DE GROS.

❍ Libre-service de (vente en) gros.

CASH-FLOW

Les LIQUIDITÉS *d'une entreprise.*

⇨ FINANCE.

❍ Marge brute d'autofinancement, liquidités.

CASHMERE

Un gilet en CACHEMIRE.

❍ Cachemire.

CASTING

Une DISTRIBUTION ARTISTIQUE *prestigieuse. De nombreuses célébrités à l'*AFFICHE *de ce film. – Pour attribuer le second rôle, il a dû multiplier les* AUDITIONS.

❍ RECOMM. OFFIC. distribution artistique, affiche – audition, essai, séance de sélection artistique.

CATCH

Une prise de LUTTE. *Assister à une rencontre de* LUTTE-SPECTACLE.

⇨ SPORT. La *lutte-spectacle* désigne un spectacle exhibition où les adversaires ne s'affrontent pas sérieusement.

❍ Lutte, lutte-spectacle.

CATERING

Une société française assure le SERVICE DE RESTAURATION *dans l'Orient-Express.*

⇨ *Self-catering :* location en meublé avec coin cuisine.

❍ Service de restauration, service traiteur, ravitaillement.

CB

Le téléphone portatif tend à supplanter l'usage de la BANDE DE FRÉQUENCE BANALISÉE.

❍ RECOMM. OFFIC. bande de fréquence banalisée ou publique.

CD

Un lecteur de DISQUE OPTIQUE.

⇨ INFORMATIQUE. Voir aussi CD-ROM.

○ Disque optique (numérique), RECOMM. OFFIC. disque compact.

CD-ROM

Tous les logiciels sont vendus sur CÉDÉROM. *Un* INFODISQUE *contenant un logiciel de traduction franco-allemand.*

⇨ INFORMATIQUE. Pour clarifier, tout CD est un disque optique numérique. Il existe plusieurs tailles, le format « compact » correspond à un diamètre de 12 cm pour une capacité de stockage allant de 650 à 800 Mo. Il existe également un format plus petit, le format « poche » d'un diamètre de 8 cm pour une capacité d'environ 210 Mo. Le disque optique numérique peut ne contenir que du son (CD audio), auquel cas le terme *audiodisque* semble approprié. S'il ne contient que de la vidéo (DVD), il est logique d'employer le terme *vidéodisque*. Enfin, si le contenu est un logiciel ou de l'information, parlons d'*infodisque*. À cela, il faut encore ajouter une distinction entre les disques non modifiables ou ROM (Read Only Memory, données seulement accessibles en lecture) et les disques réinscriptibles. Il est à noter que le signe américain CD-ROM est devenu terme en soi,

comme radar ou laser, et peut, comme l'Académie le préconise, être francisé en cédérom.
❍ RECOMM. OFFIC. cédérom. PROP. [infodisque].

CHALLENGE
Un DÉFI *à relever. Affronter une* ÉPREUVE. ENTREPRISE *dangereuse, téméraire. « Dans les sociétés comme pour les hommes il n'y a pas de croissance sans* DÉFI » (Jean-Jacques Servan-Schreiber). – *Remporter le* CHAMPIONNAT *de France.*
❍ Défi, épreuve, gageure, obstacle, entreprise – concours, championnat, coupe, critérium, trophée.

CHALLENGER
Être le RIVAL *d'un homme politique. Éliminer, supplanter, vaincre tous ses* CONCURRENTS. ADVERSAIRE *malheureux.*
❍ Rival, concurrent, adversaire, prétendant, compétiteur.

CHANNEL
LA MANCHE *nous sépare de l'Angleterre. Une* CHAÎNE *à péage.*
❍ La Manche – chaîne, canal.

CHARGE
⇨ GLISSEMENT DE SENS. Cette erreur est apparue sous l'influence de la locution anglaise *to be in charge of.* ~~ÊTRE EN CHARGE *de*~~ *ce dossier :* AVOIR LA CHARGE *de*

ce dossier, ou ÊTRE CHARGÉ *de ce dossier*, ou AVOIR LA RESPONSABILITÉ *de ce dossier.*

CHARITY BUSINESS

*La part de l'*ÉCONOMIE HUMANITAIRE *tend à s'accroître. Une collecte au profit d'une* ŒUVRE DE BIENFAISANCE. *Il a agi par pure* PHILANTROPIE.

⇨ On désigne par cette expression toute la sphère économique dont la finalité est de faire *œuvre de bienfaisance*.

○ Économie humanitaire, organisation caritative, œuvre de bienfaisance, œuvre charitable, philanthropie.

CHARTE

Le RELEVÉ DES VENTES *signale un net recul de cette compagnie au cours du dernier semestre.*

⇨ FINANCE.

○ Graphique, compte-rendu, tableau ou relevé des ventes.

CHARTER

Un avion AFFRÉTÉ. *Un billet* EN AFFRÉTÉ *à demi-tarif.*

⇨ *Nolisé* est peu usité. *Affréter* pour « prendre en location ». *Fréter* pour « donner en location ».

○ Vol ou train affrété, avion d'affrètement, avion nolisé, PROP. [billet ou prix en affrété].

CHARTISTE

Les banques d'affaires emploient des ANALYSTES FINANCIERS *qui prévoient les futures tendances boursières.*

⇨ FINANCE.

❍ Analyste financier (sur courbes).

CHAT

La CAUSETTE *est un mode de communication très prisé des internautes.*

⇨ INFORMATIQUE. *Causette* est proposé par la Commission générale de terminologie et de néologie. *Clavardage* est un mot-valise formé à partir des mots « clavier » et « bavardage ». Ce mot est proposé par l'Office de la langue française du Québec.

❍ Causette, bavardage, clavardage, espace de discussion interactif.

CHEAP

Je préfère mettre un peu plus d'argent que d'acheter de la CAMELOTE.

❍ Bon marché, au rabais, camelote, de pacotille, ordinaire, commun, banal, quelconque.

CHECKER

Avez-vous VÉRIFIÉ *si la marchandise est bien arrivée ?*

❍ Vérifier, contrôler, examiner, s'assurer, réviser, collationner.

CHECK-IN

La PROCÉDURE D'ENREGISTREMENT *n'a pris que quelques minutes. – Il posa sa mallette sur le* COMPTOIR D'ENREGISTREMENT.

❍ Enregistrement, procédure d'enregistrement – comptoir d'enregistrement.

CHECK-LIST

Vous n'êtes pas sur ma LISTE DE VÉRIFICATION *des personnes autorisées à monter à bord. Le technicien vérifiait tous les points indiqués sur la* LISTE DE CONTRÔLE.

❍ RECOMM. OFFIC. liste de vérification, liste de contrôle.

CHECK-UP

À cinquante ans, il était grand temps d'effectuer un BILAN DE SANTÉ *complet. – L'*EXAMEN *des comptes d'une entreprise.*

❍ Bilan de santé, examen de santé – examen, bilan, diagnostic.

CHEESE

Souriez, vous êtes photographiés, SEXE, SISSI *!*

⇨ Attention ! Cette expression ne sert qu'à faire bonne figure devant le photographe. On peut tout aussi bien obtenir le même résultat avec d'autres mots.

❍ Sissi, sexe.

CHEESEBURGER

Ce prêt-à-manger était connu pour la qualité de ses HACHÉS AU FROMAGE.

❍ Haché au fromage, en-cas américain au fromage.

CHEESE-CAKE

Il raffole des GÂTEAUX AU FROMAGE BLANC *parfumé au kirsch.*

❍ Gâteau au fromage blanc.

CHELEM

Seuls deux joueurs ont remporté le CARRÉ D'AS *en tennis, c'est-à-dire les quatre tournois majeurs, à savoir les Internationaux d'Australie, de France, de Grande-Bretagne et des États-Unis la même année.*

⇨ SPORT. On utilise généralement ce mot dans l'expression : *le grand chelem.*

❍ Carré d'as.

CHEWING-GUM

Une tablette de GOMME À MÂCHER *sans sucre.*

❍ Gomme à mâcher.

CHINATOWN

Se procurer certaines spécialités dans le QUARTIER CHINOIS.

❍ Quartier chinois.

CHIP

Le MICROPROCESSEUR *est le cerveau de l'ordinateur.*

⇨ INFORMATIQUE.

❍ Microprocesseur, puce.

CHIPS

Un paquet de CROUSTILLES.

❍ Croustilles.

CHIROPRACTEUR

Consulter un CHIROPRATICIEN.

⇨ Le diagramme *ch* se prononce [k].

❍ RECOMM. OFFIC. chiropraticien.

CHIROPRACTIE

La CHIROPRAXIE *est le métier du chiropraticien.*

⇨ Le diagramme *ch* se prononce [k].

❍ Chiropraxie.

CHOQUER

⇨ GLISSEMENT DE SENS. Sous l'influence malheureuse de l'anglais, *choquer*, dont le sens premier est « offusquer, gêner, contrarier » a également pris le caractère psychophysiologique des verbes traumatiser et commotionner. Il en découle une confusion, par exemple, dans l'expression : *choquée par une agression.* La personne est-elle seulement offusquée ou a-t-elle été également touchée dans sa chair et son équilibre nerveux ? Dans le second cas, il faut dire : *traumatisée par une agression.*

Des passagers ~~CHOQUÉS~~ *par le détournement de leur avion : des passagers* TRAUMATISÉS *par le détournement de leur avion. L'explosion l'a* ~~CHOQUÉ~~ *: l'explosion l'a* COMMOTIONNÉ.

CHRONOPOST

Un colis envoyé par CHRONOPOSTE.

⇨ Lorsque même l'administration des Postes françaises omet le *e* à *poste*, tout est à craindre, et surtout le ridicule. En effet, *chrono* désigne le temps (ex. *chronomètre*) et *post* en latin signifie « après » (ex. *postdater*). Le résultat est que les envois Chronopost, littéralement « après le temps », laissent à penser pour tout francophone que les colis prendront du retard... Il est bien malaisé de concilier la langue de Molière avec celle de l'oncle Sam !

❍ Chronoposte.

CHUTNEY

Il aimait à savourer la cuisine indienne relevée par ces CONFITURES AIGRES-DOUCES *si particulières.*

❍ Condiment (aromate, assaisonnement, confiture) aigre-doux.

CIBISTE

Des CÉBISTES *passionnés.*

⇨ *Cébiste* est la forme francisée de *cibiste*.

❍ RECOMM. OFFIC. cébiste.

CLASH

Provoquer un ESCLANDRE. *La discussion a tourné à l'*AFFRONTEMENT.

❍ Esclandre, conflit, affrontement, querelle, rupture, confrontation, désaccord.

CLEAN

Un intérieur SOIGNÉ. – *Il est* RÉGULIER. *Une histoire pas très* NETTE. – *Cette fille est* SAINE, *elle ne touche pas à la drogue.*

❍ Soigné, net, propre, impeccable, bien tenu – régulier, sans tache, net, intègre – sain.

CLEARANCE

AUTORISATION *de vol.* DÉCLARATION *en douane.*

❍ Autorisation, déclaration, RECOMM. OFFIC. clairance.

CLIP

Une AGRAFE *de stylo. Une* BOUCLE D'OREILLE *fantaisie. Une* ÉPINGLE *de cravate.*

⇨ Voir *vidéo-clip* lorsque *clip* est la troncation de ce mot.

❍ Agrafe, broche, boucle d'oreille, barrette, fermoir, épingle.

CLIP ART

*Ce logiciel de dessin fournit en sus plusieurs centaines d'*ILLUSTRATIONS BUREAUTIQUES.

⇨ INFORMATIQUE.
❍ Illustration bureautique, vignette, pictogramme.

CLIPBOARD
Copier des données dans un PRESSE-PAPIER.
⇨ INFORMATIQUE.
❍ Presse-papier.

CLOSE-COMBAT
Un professeur enseignait les rudiments du COMBAT CORPS À CORPS.
❍ Combat corps à corps.

CLOSE UP
Faire un PLAN SERRÉ *sur le visage de l'acteur.*
❍ Plan rapproché (cinéma), plan serré (télévision), gros plan.

CLOWN
Le COMIQUE *d'un cirque. Il aime faire le* PITRE. *C'est un* FARCEUR.
❍ Comique, fantaisiste, pitre, farceur, guignol, bouffon.

CLOWNERIE
Cessez vos PITRERIES *!*
❍ Facétie, pitrerie, bouffonnerie, farce, pantalonnade.

CLUB

1 – *Inviter un ami à dîner à son* CERCLE. *Une* ÉCOLE *d'arts martiaux. Membre d'une* SOCIÉTÉ SPORTIVE.

⇨ L'*aéroclub* devient le *cercle aérien*, et le *yacht-club* (voir ce mot) le *cercle nautique*.

❍ Cercle, ligue, société (sportive), confrérie, compagnie, congrégation, école, réunion, amicale, association, alliance.

2 – *La* CANNE *de golf est l'outil du golfeur.*

⇨ GOLF.

❍ Canne, bois, fer.

CLUB-HOUSE

Les membres mangeaient dans la salle commune du PAVILLON.

❍ RECOMM. OFFIC. pavillon, maison du cercle, local.

C/O

Mademoiselle Chevrier CHEZ *Madame X.*

⇨ Ce sigle anglais signifie *care of.*

❍ Chez, aux bons soins de.

COACH, COACHER

Un ENTRAÎNEUR *exigeant.* MONITEUR *de ski. – Il* ENTRAÎNE *l'équipe cadette.*

⇨ SPORT.

❍ Entraîneur, moniteur, instructeur – entraîner, se charger de l'entraînement.

COCKPIT

*L'*HABITACLE *du pilote de cet avion de chasse est exigu. Une hôtesse m'a fait visiter la* CABINE DE PILOTAGE *du long-courrier.*

○ Habitacle, cabine de pilotage, poste de pilotage.

COCKTAIL

1 – *Un* ASSEMBLAGE *réussi de jus de fruits additionné d'un soupçon de crème de cassis. Un* ASSEMBLAGE *de vins.*

○ Assemblage, apéritif.

2 – *Un* HORS-D'ŒUVRE *de crevettes.*

○ Hors-d'œuvre, macédoine, salade mêlée.

3 – *Inviter des amis pour l'*APÉRITIF. *Un* BUFFET LÉGER *sera proposé. – Être invité à un* VERNISSAGE.

○ Apéritif, buffet léger ou froid, vin de l'amitié, vin d'honneur – inauguration, vernissage.

4 – *Un* MÉLANGE *de médicaments particulièrement dangereux.*

○ Mélange, mixture.

COCOONING

L'aspiration à une VIE DOUILLETTE *et* CASANIÈRE. *Aimer son* CHEZ-SOI.

○ Calfeutrement, mode de vie douillet (casanier, ou sédentaire, ou surprotégé), chez-soi, recherche de confort.

COFFEE-HOUSE

Les MAISONS DU CAFÉ *ont su remettre ce breuvage à l'honneur et lui donner une distinction qu'il avait perdu dans nos* CAFÉS *populaires.*

❍ Maison du café, brûlerie, café, caféterie.

COME-BACK

Faire sa RENTRÉE.

❍ Rentrée, retour sur scène, rétablissement de popularité, revenir à la mode.

COMING-OUT

Cet acteur célèbre a surpris ses admiratrices par sa DÉCLARATION PUBLIQUE DE SON HOMOSEXUALITÉ.

⇨ Aujourd'hui, ce mot est surtout employé dans le sens de « déclaration publique de son homosexualité ».

❍ Déclaration, révélation, affirmation, aveu (de son homosexualité).

CONCEPT-CAR

Le Salon de l'automobile fut l'occasion pour ce constructeur de dévoiler en avant-première les nouveaux PROTOTYPES *de sa marque.*

❍ Prototype, modèle de présentation, véhicule expérimental.

CONSULTING

Une SOCIÉTÉ DE CONSEIL *en informatique. Les plans conçus dans un* BUREAU D'ÉTUDES. *Le* CABINET-

CONSEIL *d'un avocat d'affaires. – L'activité de* CONSEIL *est en plein développement.*

❍ Bureau d'études, société de conseil, cabinet-conseil, cabinet d'experts – conseil, activité de conseil.

CONTAINER

CONTENEUR *ferroviaire.*

❍ RECOMM. OFFIC. conteneur.

CONTRÔLE

⇨ GLISSEMENT DE SENS. Le sens étymologique de *contrôle* est la vérification : *contre-rôle,* « registre tenu en double ». On évitera alors de l'utiliser dans le sens de « maîtrise, domination, régulation ». Lorsque cette distinction n'est pas respectée, ce mot peut être source de confusion. Ainsi, le *contrôle des naissances* évoque-t-il la régulation des naissances ou leur enregistrement par les services de l'état civil ? Le *contrôle de la vitesse* est-il un enregistrement par un cinémomètre ou une mesure destinée à limiter la vitesse ? Le *contrôle de la circulation routière* se borne-t-il à une simple surveillance ou s'agit-il d'une régulation plus active afin d'empêcher les retenues ? *Contrôler une machine* signifie-t-il inspecter son bon fonctionnement ou en avoir la maîtrise ?

Poste de ~~CONTRÔLE~~ *: poste de* COMMANDE.

CONVENTION

⇨ GLISSEMENT DE SENS. Lorsque *convention*, par influence de l'anglais, signifie « congrès, assemblée », la confusion n'est pas loin. La *convention démocrate* aux États-Unis est-elle un accord passé entre tous les démocrates ou désigne-t-elle seulement le congrès de ce parti ?

~~CONVENTION~~ *des vétérans du Vietnam :* CONGRÈS *des anciens combattants de la guerre du Vietnam.*

CONVENTIONNEL

⇨ GLISSEMENT DE SENS. Parler d'*armement conventionnel* ou de *guerre conventionnelle* alors que cet armement ou, *a fortiori*, cette guerre ne résulte d'aucune convention est absurde. Il s'agit d'armement ou de guerre de type *classique* (ni nucléaire, ni chimique, ni biologique).

Armement ~~CONVENTIONNEL~~ *: armement* CLASSIQUE.

CONVERTIBLE

Canapé TRANSFORMABLE.

⇨ Le sofa ou le divan est transformé en un lit d'appoint.

❍ Transformable.

COOKIE

1 – *Une boîte de* PALETS AUX PÉPITES DE CHOCOLAT.

❍ Palet (aux pépites de chocolat), biscuit sec, petit gâteau.

2 – *Un* TÉMOIN DE CONNEXION *chargé de caractériser l'utilisateur.*

⇨ INFORMATIQUE. *Témoin de connexion* est proposé par la Commission générale de terminologie et de néologie.

❍ Témoin (de connexion).

COOL

C'est FACILE. *Elle s'est montrée très* ARRANGEANTE. *Il a des parents* PERMISSIFS. – *Il est* SANS COMPLEXE. *Agir* SANS COMPLICATION. *Un accueil plein de* SANS-FAÇON. – *C'est* SYMPA *ici. Une directrice* AVENANTE.

❍ Facile, conciliant, accommodant, arrangeant, permissif – sans complexe, désinvolte, sans complication, sans-façon – sympa, agréable, amène, avenant – décontracté, détendu.

COORDINATEUR

Bureau COORDONNATEUR.

⇨ On coordonne, on ne « coordine » pas !

❍ Coordonnateur.

COPYRIGHT

DÉPÔT LÉGAL. *Tous* DROITS RÉSERVÉS. *Vivre de ses* DROITS D'AUTEUR. DROITS *de reproduction* RÉSERVÉS.

❍ Dépôt légal, droits réservés, droits d'auteur, droits de l'inventeur, droits d'exploitation, exclusivité.

CORNED-BEEF

Le BŒUF EN BOÎTE *peut se conserver plusieurs mois.*

❍ Bœuf en boîte, conserve de viande de bœuf.

CORNER

1 – *Concéder un* TIR D'ANGLE *à l'équipe adverse.*

⇨ FOOTBALL.

❍ Tir d'angle, tir de coin, RECOMM. OFFIC. coup de pied de coin.

2 – ESPACE *lingerie.* RAYON *jouets.* BOUTIQUE *Mont-Blanc. Le* COIN *bricolage est au sous-sol.*

❍ Espace, rayon, boutique, coin.

CORNFLAKES

Si le muesli se compose pour l'essentiel de raisins, noisettes et flocons d'avoine, on y trouve aussi des PÉTALES DE MAÏS.

⇨ On utilise plus volontiers *pétale* pour le maïs et flocon pour l'avoine, afin de marquer la différence de forme et d'épaisseur après traitement.

❍ Pétales de maïs.

CORPORATION

⇨ GLISSEMENT DE SENS. La *corporation* n'est en français rien d'autre que l'association regroupant les membres d'une même profession. On désigne aussi sous ce vocable l'ensemble de ces personnes : la *cor-*

poration des pâtissiers. En anglais, en revanche, *corporation* désigne une société, une entreprise.
Microsoft est une ~~corporation~~ américaine : Microsoft est une ENTREPRISE *américaine.*

COSY
Une ambiance DOUILLETTE. *Une soirée* INTIME *où l'on reste entre soi. Une atmosphère* RASSURANTE.
❍ Chaleureux, douillet, intime, confortable, rassurant.

COTTAGE
J'ai la chance de posséder une MAISON DE CAMPAGNE *cossue ; j'en ai fait ma* GENTILHOMMIÈRE.
❍ Gentilhommière, maison de campagne, chaumière, pied-à-terre.

COUNT-DOWN
Le COMPTE À REBOURS *égrène les dernières secondes avant le lancement.*
❍ Compte à rebours.

COUNTRY
La nouvelle recette RUSTIQUE *des mueslis.*
❍ Campagnard, champêtre, rustique.

COVER-GIRL
Épouser une FILLE DE COUVERTURE *d'origine hongroise.*

❍ PROP. [fille de couverture], modèle, collectionneuse de couvertures.

COW-BOY

1 – *Des* CONVOYEURS DE BÉTAIL, *perclus de fatigue et tenant à peine sur leur monture. Ils étaient trois* GARDIANS *à mener la manade à travers les marais. Des* CAVALIERS *adroits surveillent les troupeaux de bovins dans la plaine texane. – Les* AVENTURIERS *du lointain Ouest américain ont ceci de particulier qu'ils vouent un culte sans limites à leur cheval.*

⇨ Pris dans son sens strict, *cow-boy* est un xénisme que l'on ne peut ni ne doit traduire. Il fait alors figure de citation. Cela dit, il est souhaitable de remplacer ce terme lorsqu'il est pris au sens figuré.

❍ Convoyeur de bétail, conducteur ou gardien de troupeau, gardian (mot provençal), cavalier, garçon vacher, garçon de ferme – aventurier.

2 – *L'ordre public est mis à mal par une bande d'*AVENTURIERS *prêts à tout. L'alpiniste doit se préserver de devenir un* RISQUE-TOUT *s'il veut continuer à pratiquer longtemps son sport préféré.*

❍ Risque-tout, aventurier, casse-cou.

CRACK

1 – *C'est un* GÉNIE *en mathématiques. Un* VIRTUOSE *du violon. Le tournoi des* MAÎTRES.

O Sportif d'élite, as, champion, virtuose, maître, génie.

2 – *Le* FAVORI *de l'écurie de course.*

O Favori.

CRACKERS

Des PETITS SALÉS *étaient posés là sur l'étagère. Nous leur avons servi quelques* BISCUITS À APÉRITIF *avant de passer à table.*

O Biscuit à apéritif, amuse-bouche, petit biscuit salé (éventuellement au fromage), craquelin, bretzel.

CRASH

*L'*ÉCRASEMENT AU SOL *du vol long-courrier avait stupéfié tout le monde. Un* ATTERRISSAGE DE FORTUNE. – *Le* PLANTAGE *de mon ordinateur m'a pris de court.*

O Écrasement au sol, catastrophe aérienne, atterrissage en catastrophe (ou de fortune), accident, collision, carambolage – plantage.

CRASHER (SE)

1 – *L'avion* S'*est* ÉCRASÉ *au large.*

O S'écraser, se fracasser, s'abattre au sol, s'abîmer en mer.

2 – *L'ordinateur* S'*est complètement* BLOQUÉ *par suite d'une fausse manipulation.*

O Tomber en panne, s'arrêter net, se bloquer.

CRASH TEST

Tout constructeur se doit d'effectuer des ESSAIS DE COLLISION *pour s'assurer de la résistance des véhicules qu'il fabrique.*

○ Essai de collision, essai de choc.

CRÉDIT REVOLVING

Contracter un CRÉDIT PERMANENT *auprès d'une banque.*

⇨ FINANCE.

○ Crédit permanent ou renouvelable.

CRÈME GLACÉE

⇨ GLISSEMENT DE SENS. L'anglicisme *crème glacée* n'est autre que notre *glace* (au lait ou à la crème) en opposition au sorbet (à l'eau).

~~CRÈME GLACÉE~~ *à la vanille :* GLACE *vanille.*

CROONER

Les CHANTEURS DE CHARME *ne font plus recette.*

○ Chanteur de charme.

CROSS-COUNTRY

Participer à une COURSE À PIED À TRAVERS CHAMPS.

⇨ SPORT.

○ Course à pied à travers champs.

CUBITAINER

Du vin en CAISSE-OUTRE.

⇨ *Cubitainer* est une marque déposée.

○ RECOMM. OFFIC. caisse-outre.

CURLING

Le PALET SUR GLACE *est un loisir pour certains, un sport pour d'autres.*

⇨ SPORT.

❍ Palet sur glace.

CUSTOM, CUSTOMISATION, CUSTOMIZED

Un logiciel spécialement ADAPTÉ *pour la France. Un modèle de série* PERSONNALISÉ *aux goûts du client. Une maison faite* SUR PLAN.

❍ Adapté, personnalisé, à la carte, sur mesure, sur plan, selon souhait, selon désir, sur commande.

CUTTER

Un manutentionnaire muni d'un COUPE-CARTON.

⇨ Le *coupoir* sert à couper des corps durs, tout comme le *coupe-verre* ou le *coupe-carrelage*.

❍ PROP. [coupe-carton], coupe-papier, coupoir, coupe-verre, coupe-carrelage.

CYBERCAFÉ

Passer son après-midi dans un CAFÉ BRANCHÉ.

⇨ Aujourd'hui, être *branché* ne veut plus seulement dire être « dans le vent » mais aussi être « connecté au réseau ».

❍ Café branché (ou connecté).

CYBERESPACE

Se plonger dans le MONDE VIRTUEL *permet de se couper des réalités.*

❍ Monde virtuel.

DANCING

Fréquenter les BOÎTES DE NUIT. *Danser dans une* DISCOTHÈQUE. – *Passer l'après-midi dans un* THÉ DANSANT.

⇨ Rappelons que *danse* s'écrit en français avec un *s*.

❍ Boîte de nuit, discothèque, cabaret, salle de bal – gala, fête mondaine, réception, bal, bal musette, bal champêtre, surprise-partie, après-midi dansant, thé dansant, soirée dansante, guinguette.

DATA BASE

Consulter une BASE DE DONNÉES *en fonction de critères très précis.*

⇨ INFORMATIQUE.

❍ Base de données.

DEADLINE

Veillons à respecter la DATE BUTOIR.

❍ Date butoir, dernier délai, échéance – point de non-retour.

DEAL

La nouvelle DONNE. – *Voici les termes du* MARCHÉ. *Les clauses du* CONTRAT. *Une bonne* AFFAIRE. *L'*ARRANGEMENT *était profitable pour les deux parties.* – *Nous avons passé un* ACCORD.

❍ Donne – marché, contrat, arrangement, affaire, transaction, opération – entente, accord, pacte, traité, agrément, convention, concordat, compromis.

DEALER

Une opération concertée de la gendarmerie et de la police a permis d'arrêter plusieurs POURVOYEURS DE DROGUE *dans le département. Un petit* REVENDEUR DE DROGUE.

⇨ En France, le *dealer* est perçu exclusivement comme lié à la drogue, alors que l'usage anglo-saxon l'étend à tous les types de négociants, qu'il s'agisse d'art, d'automobile, de pétrole, etc.

❍ Pourvoyeur de drogue, revendeur de drogue, trafiquant.

DÉBREAKER

Il a réussi à COMBLER LA BRÈCHE *en revenant à cinq jeux partout.*

⇨ TENNIS.

❍ Combler la brèche.

DÉBRIEFER

De retour de mission, nous avons FAIT LE POINT. INTERROGER *des employés sur le suivi des instructions.* RENDRE COMPTE *de son mandat.*

❍ Faire le point, demander des comptes, rendre compte, interroger, questionner.

DÉBRIEFING

Le COMPTE-RENDU *d'une mission. Nous nous réunirons pour un* EXAMEN DE LA SITUATION. *Au* RAPPORT *!*

❍ Compte-rendu, examen de la situation, rapport, rapport de mission, exposé, interrogatoire de retour de mission, séance de critique.

DÉBUGER

DÉFAUSSER *un programme informatique. – L'existence de la coquille de l'an 2000 nécessite l'intervention d'une armada de programmeurs afin de* VÉRIFIER *et éventuellement de* CORRIGER *tous les programmes concernés.*

⇨ INFORMATIQUE. Voir également *bug*. *Défausser* signifie « redresser ce qui a été faussé ». Si l'on

considère qu'un *bug* n'est autre qu'une sorte de nœud, il s'agit alors de *dénouer* le programme.
❍ Défausser, corriger, dénouer, déminer – examiner, inspecter, contrôler, vérifier.

DÉBUGEUR
Tout comme un traitement de texte doit inclure un correcteur orthographique, un environnement de programmation se doit d'inclure un DÉFAUSSEUR *pour permettre au programmeur de détecter puis de corriger les erreurs qui auraient pu s'y glisser à son insu.*
⇨ INFORMATIQUE.
❍ PROP. [défausseur], correcteur, démineur.

DÉCADE
⇨ GLISSEMENT DE SENS. Une *décade* est une période de dix jours. Sous l'influence de l'anglais, ce mot est parfois pris à tort comme une période de dix ans, qui se dit en français *décennie*.
La dernière ~~DÉCADE~~ *du siècle : la dernière* DÉCENNIE *du siècle (1991-2000).*

DÉCLASSIFIER
Ces documents classés secret défense ont été DÉCLASSÉS *cette année.*
❍ Déclasser, rendre accessible ou public.

DENIM

Un joli BLEU-DE-NÎMES.

⇨ Ce mot anglais est la contraction de « de la ville de Nîmes », car c'est un Français qui introduisit ce tissu aux États-Unis en 1850. Il se remplace facilement par *bleu-de-Nîmes*. Voir aussi *blue-jean*.

❍ PROP. [bleu-de-Nîmes].

DÉODORANT

DÉSODORISANT *corporel pour la toilette. Aérosol* DÉSODORISANT *pour éliminer les odeurs domestiques.*

⇨ La langue française préfère le préfixe *dés-* à la forme *dé-* devant une voyelle : désobliger, désobéir, désintérêt, désordonné, désorganiser, désorienter. Cela justifie le rejet de *déodorant* au profit de *désodorisant*, dont le suffixe *-isant* induit l'idée d'action comme dans cicatrisant, cristallisant, fertilisant, ionisant, etc.

❍ Désodorisant, régulateur de transpiration.

DÉPRESSION

Une période de RÉCESSION. *La* CRISE *américaine de 1929.* MARASME *économique.*

❍ Récession, crise, marasme.

DÉRÉGULATION

⇨ GLISSEMENT DE SENS. La régulation indique le fait d'assurer le fonctionnement correct (sans heurt) d'un

système complexe. Parler de *dérégulation* pour évoquer l'assouplissement des règles, que le mot *déréglementation* décrit parfaitement, est absurde. La *dérégulation des transports aériens* signifie *stricto sensu* la « fin de la régulation », c'est-à-dire de la maîtrise des flux aériens, avec pour inévitable conséquence de multiples accidents aériens.
~~DÉRÉGULATION~~ *des transports aériens :* DÉRÉGLEMENTATION *des transports aériens.*

DERRICK
Un désert clairsemé de TOURS DE FORAGE.
○ RECOMM. OFFIC. tour de forage.

DESIGN
Le STYLISME *joue un rôle prépondérant. Cette automobile a de belles* LIGNES. *La beauté* PLASTIQUE *d'une œuvre. Cet objet a une très belle* FORME, *un très beau* RENDU. *Un meuble de belle* FACTURE. ESTHÉTIQUE *industrielle. – Le* DESSIN *de cet objet est confié aux bons soins d'un professionnel. –* DÉCORATION *intérieure. L'*AGENCEMENT *de cet appartement est remarquable. Une* ARCHITECTURE *critiquable. – La décoration de cet hôtel a été confiée à un* BUREAU DE STYLE *italien.*
○ Stylisme, style, esthétique, plastique, forme, silhouette, dessin, rendu, facture, ligne – dessin, croquis, plan, modèle, maquette, étude, épure – agence-

ment, décoration, architecture, conception – bureau de style.

DESIGNER

Un STYLISTE *talentueux. Un* DESSINATEUR *de meubles. Un* CRÉATIF *de talent. Un* MAQUETTISTE *publicitaire. Un architecte* PAYSAGISTE.

❍ RECOMM. OFFIC. graphiste. Styliste, dessinateur, décorateur, créatif, concepteur, maquettiste, couturier, modiste, paysagiste.

DESK

Madame Labeyrie est attendue au BUREAU DE LA RÉCEPTION. *Un billet acheté au* COMPTOIR D'EMBARQUEMENT. *– Il a renversé son café sur le* PUPITRE *de commande.*

❍ Accueil, réception (ou bureau de la réception), comptoir d'embarquement, secrétariat – pupitre, secrétaire, bureau.

DESKTOP

Un ordinateur de BUREAU *à moins de 1 000 euros.*

⇨ INFORMATIQUE.

❍ Bureau.

DÉSTRESSER

Sortons un peu, cela nous DÉTENDRA. *Se* DÉCONTRACTER *avant de passer son permis de conduire. Il commence enfin à se* DÉSÉNERVER. *« Buffon peint la nature sous tous les points de vue qui peuvent élever l'âme, [...] la* RASSÉRÉNER *et la* CALMER » (Charles Sainte-Beuve).

○ Détendre, décontracter, désénerver, rasséréner, apaiser, calmer, reposer, relâcher.

DIET

Produits de RÉGIME. *Une* CURE *de fibres. Aliments* DIÉTÉTIQUES. – *Biscuits* ALLÉGÉS. *Manger un yaourt* MAIGRE.

⇨ Cet anglicisme est très usité au rayon alimentaire.

○ Régime, cure, diététique – amaigrissant, hypocalorique, allégé, maigre.

DIGEST

CONDENSÉ *de différents articles de journaux.* RÉSUMÉ *d'un ouvrage. Recueil de* MORCEAUX CHOISIS.

○ RECOMM. OFFIC. condensé, résumé, recueil, sommaire, synthèse, récapitulatif, morceaux choisis, compilation, abrégé, compendium, florilège.

DIGIT

Un nombre à trois CHIFFRES.

○ Chiffre, caractère.

DIGITAL

La qualité du son NUMÉRIQUE.

○ RECOMM. OFFIC. numérique.

DIGITALISER

NUMÉRISER *une photographie.*

❍ RECOMM. OFFIC. numériser.

DINGHY

Le CANOT PNEUMATIQUE *de la gendarmerie fluviale.*

❍ RECOMM. OFFIC. canot pneumatique, embarcation de sauvetage gonflable, embarcation légère, hors-bord, dériveur, canot, chaloupe, esquif.

DISC-JOCKEY

*L'*ANIMATEUR MUSICAL *a su chauffer l'ambiance lors de cette soirée.*

❍ RECOMM. OFFIC. animateur (musical).

DISCOUNT

Les ventes au RABAIS. *Pratiquer des* REMISES *importantes aux meilleurs clients.* RISTOURNE *accordée à son meilleur client. Consentir une* RÉDUCTION. *Pratiquer le* DISCOMPTE.

❍ Rabais, remise, réduction, RECOMM. OFFIC. ristourne, escompte, discompte.

DISCOUNTER

S'habiller dans une SOLDERIE. *Un magasin* MINI-MARGE *est supposé casser les prix.*

❍ Solderie, à faible coût, RECOMM. OFFIC. minimarge, discompteur.

DISPATCHER

Roudax « avait VENTILÉ *les élèves de façon radicale, au niveau de la 6e »* (Courchay). RÉPARTIR *les candidats dans les différentes salles d'examen.* RÉPARTIR *les tâches entre les différents sous-traitants.* ENVOYER *les messages dans les différents services.* DISTRIBUER *équitablement l'aide alimentaire.*

❍ Ventiler, répartir, envoyer, dépêcher, distribuer, programmer, réguler, organiser.

DISPATCHEUR

Le RÉGULATEUR *est une personne chargée de répartir ou de ventiler.*

❍ RECOMM. OFFIC. régulateur.

DISPATCHING

1 – RÉPARTITION *des tâches entre collaborateurs. Centre de* DISTRIBUTION. *La* VENTILATION *des frais généraux entre plusieurs comptes. L'*ATTRIBUTION *de véhicules neufs aux différents services.* AMÉNAGEMENT *du temps de travail des équipes. Dispositifs de* RÉGULATION.

❍ RECOMM. OFFIC. Répartition, distribution, ventilation, diffusion, attribution, programmation, aménagement, régulation, étalement.

2 – *Le* POSTE DE DISTRIBUTION *a pour tâche de répartir.*

❍ RECOMM. OFFIC. poste de distribution ou de commande.

DOCK

L'activité intense des débardeurs sur les QUAIS. – *Les marchandises étaient placées dans de larges* ENTREPÔTS. *Les* ARSENAUX *de la marine.*

○ Quai, appontement, embarcadère, débarcadère, zone de chargement – chantier naval, bassin, arrière-port – entrepôt, arsenal.

DOCKER

Le travail harassant des DÉBARDEURS. *Les* ACONIERS *s'occupent de l'embarquement ou du débarquement des marchandises. L'*ARRIMEUR *est chargé de l'arrimage des marchandises à bord du navire.*

⇨ Notons que la langue française connaît les verbes *débarder* et *arrimer*, ainsi que les noms *débardage* et *arrimage*. Aucun verbe n'est construit sur l'anglicisme *docker*. Un débardeur est également le tricot court, sans col ni manches, porté à même la peau par les *débardeurs*.

○ Débardeur, aconier, arrimeur – fort des halles, manutentionnaire.

DOMESTIQUE

⇨ GLISSEMENT DE SENS. Issu du latin *domus*, « maison », le mot *domestique* ne peut être utilisé pour désigner l'étendue d'un territoire. Il faut ainsi parler de *vol intérieur* plutôt que de *vol domestique*.

Le marché ~~DOMESTIQUE~~ *français : le marché* INTÉRIEUR *français.*

DOPING

Le DOPAGE *est non seulement interdit, mais il est aussi dangereux.*

❍ RECOMM. OFFIC. dopage.

DOWNLOAD

Il est possible de TÉLÉCHARGER *de nombreux programmes à partir de l'Internet.*

⇨ INFORMATIQUE.

❍ Télécharger, récupérer, importer.

DOWNSIZING

Une RÉDUCTION *du personnel.* COMPRESSION *des dépenses. Le* DÉGRAISSAGE *des effectifs d'une entreprise.*

⇨ *Dégraissage* appartient au registre familier.

❍ Réduction d'effectif, diminution, compression, dégraissage.

DRAFT

La première ÉBAUCHE *du projet. Le* PREMIER JET *d'un roman. – Ce n'est qu'une* ESQUISSE. – Un AVANT-PROJET *prometteur.*

❍ Ébauche, essai, premier jet, brouillon – esquisse, croquis, crayonnage, crayonné, pochade – avant-projet, plan, maquette, schéma préliminaire, synopsis.

DRASTIQUE

Des mesures ÉNERGIQUES *et* CONTRAIGNANTES. *« Les mesures n'étaient pas* DRACONIENNES *et l'on semblait avoir beaucoup sacrifié au désir de ne pas inquiéter l'opinion publique »* (Albert Camus). *Entamer une réforme* RADICALE.

❍ Énergique, contraignant, draconien, radical, sévère, rigoureux, tranché sur le vif.

DRAWING GUM

Les parties de l'aquarelle destinées à rester blanches sont recouvertes d'un MASQUE LIQUIDE *avant la première application de peinture.*

❍ Masque liquide.

DRESSING

*« Le grand cuisinier se reconnaît mieux à l'*ASSAISONNEMENT *d'une salade qu'à la richesse de ses entremets »* (André Maurois). *Un* ASSAISONNEMENT *relevé par une pointe de paprika.*

❍ Assaisonnement, vinaigrette, sauce à salade.

DRESSING-ROOM

Accrocher son manteau au VESTIAIRE. *Personne autre qu'elle ne pouvait pénétrer dans sa* GARDE-ROBE. ARMOIRE-PENDERIE.

❍ RECOMM. OFFIC. vestiaire, garde-robe, pièce à

vêtements, penderie, armoire-penderie, réduit à vêtements, placard à vêtements.

DRIBBLE

Ce joueur de football est un virtuose du PASSE-PIED.

⇨ FOOTBALL. Le passe-pied est anciennement une danse folklorique française à trois temps. Son analogie (trois temps) et sa construction (passe-pied) en font un substitut idéal à *dribble.*

❍ PROP. [passe-pied].

DRIBBLER

Il sait admirablement CONDUIRE *le ballon. – Il a* PASSÉ *trois défenseurs adverses avant de marquer un but.*

⇨ FOOTBALL.

❍ Conduire – passer, feinter, éluder, éviter.

DRIBBLEUR

Ce joueur est un VIRTUOSE DU PASSE-PIED. *C'est un piètre* FEINTEUR.

⇨ FOOTBALL. Voir *dribble.*

❍ Virtuose du passe-pied, feinteur.

DRILL

Une SÉRIE D'EXERCICES *de calcul et de grammaire. Répéter les* EXERCICES *d'évacuation en cas d'incendie. L'*ENTRAÎNEMENT *intensif des soldats s'effectuait sous la surveillance d'un instructeur. Être en* MANŒUVRES.

❍ Série d'exercices, exercice, entraînement, manœuvre.

DRINK

Je vous offre un VERRE *? Prendre l'*APÉRITIF. *Un petit* DIGESTIF *pris à la fin d'un bon repas. Garçon ! une* POIRE, *s'il vous plaît.*

❍ Verre, alcool, apéritif, digestif, liqueur, cordial, poire, framboise – apéritif sans alcool, orangeade, citronnade, limonade.

DRIVE

1 – *Les anciens ordinateurs contenaient deux* LECTEURS *de disquettes.*

⇨ INFORMATIQUE.

❍ Lecteur (de disquettes).

2 – *Quel beau* COUP D'ENTRÉE *!*

⇨ GOLF.

❍ Coup d'entrée, coup longue distance.

DRIVE-IN

Ce restaurant pratique le TOUT-EN-VOITURE.

⇨ Le néologisme *tout-en-voiture* s'applique indifféremment au restaurant prêt-à-emporter, au cinéma de plein air, au guichet extérieur d'une banque.

❍ PROP. [tout-en-voiture], service au volant, RECOMM. OFFIC. ciné-parc.

DRIVER

1 – *L'impression est gérée par un* PILOTE *d'imprimante.*

⇨ INFORMATIQUE.

❍ Pilote.

2 – *Passez-moi le* BOIS UN.

⇨ GOLF.

❍ Bois (numéro) un.

DRONE

Un AVION BOURDON *relevait les positions de l'ennemi.*

⇨ Ce type d'*avion de reconnaissance sans pilote*, de petite taille et assez lent, ressemble fort au bourdon.

❍ Avion sans pilote, PROP. [avion bourdon], avion télécommandé de reconnaissance (militaire).

DROPPER

1 – LARGUER *du matériel et des vivres.*

❍ Parachuter, larguer.

2 – *Il* ABANDONNE *ses études avant terme.*

❍ Délaisser, négliger, abandonner, lâcher.

DROPPAGE

Le PARACHUTAGE *avait été effectué avec précision.*

❍ Parachutage, largage.

DROP ZONE, DROPPING ZONE

La ZONE DE LARGAGE *venait d'être atteinte.*

❍ Zone de largage, zone de saut.

DRUGSTORE

Le COMPTOIR DES CINQ NÉCESSITÉS *ne désemplissait pas depuis son ouverture.*

❍ PROP. [halle aux boutiques, comptoir des cinq nécessités (boisson, nourriture, hygiène, soins, tabac)], galerie marchande – bazar.

DUFFLE-COAT

L'enfant portait la PÈLERINE *comme un moine sa bure.* *« Une courte* PÈLERINE *de laine noire protégeait ses épaules du froid et lui donnait un faux air d'ecclésiastique en camail »* (Julien Green).

❍ Pèlerine, pèlerine à manches, pardessus, trois-quarts, pelisse.

DUMPER

Un pan entier de notre industrie a été BRADÉ.

❍ Brader, sacrifier, vendre à perte, vendre au dessous du prix normal.

DUMPING

La VENTE À PRIX CASSÉS *est une stratégie commerciale pour s'emparer d'un marché.*

❍ Vente à prix cassés, surenchère à la baisse, exportation bradée, vente à perte.

DUTY FREE SHOP

Acheter du parfum dans une BOUTIQUE HORS TAXES.

❍ Boutique hors taxes, boutique franche.

E-CASH

L'usage de la MONNAIE ÉLECTRONIQUE *est appelé à s'étendre.*

⇨ FINANCE.

❍ Monnaie électronique.

EFFICIENCE

*L'*EFFICACITÉ *d'un matériel.*

❍ Efficacité, productivité, rendement.

EFFICIENT

Lessive EFFICACE *contre les taches. Nos mesures ont été* OPÉRANTES. *Un remède* AGISSANT.

❍ Efficace, opérant, agissant, puissant, organisé.

E-MAIL

Indiquez-moi votre ADRESSE TÉLÉMATIQUE. *Je lis tous les matins mon* COURRIER TÉLÉMATIQUE. *La* MESSAGERIE TÉLÉMATIQUE *remplacera à terme la télécopie. J'ai reçu un* TÉLÉMESSAGE *très important.*

⇨ INFORMATIQUE. Il faut distinguer les quatre couches que sont l'électricité, l'électronique, l'informatique et la télématique. Ce qui a trait à l'électronique en reste à l'état de signaux primitifs, suffisants pour automatiser le fonctionnement d'une machine à laver le linge par exemple. L'informatique, qui participe d'un niveau d'abstraction bien plus élevé, traite du texte, des images, des sons. Lorsque l'informatique est employée à distance, il est approprié de parler de télématique (informatique à distance). C'est pourquoi, les *e-mails* ne sont rien d'autres que des *messages télématiques* ou *télémessages*, et en aucun cas de simples courriers électroniques. Cette erreur nous vient en droite ligne de l'anglais, langue qui ne possède toujours pas d'équivalent au mot informatique.

Tlm peut tenir lieu d'abréviation pour *télématique* et être utilisé pour indiquer une *adresse télématique* ou un *télémessage*, tout comme *tél.* est employé pour indiquer un numéro de téléphone et *tlc* pour indiquer un numéro de télécopie. Il est préférable de s'abstenir de toute utilisation du terme « électronique » dans un tel contexte.

○ PROP. [courrier télématique, adresse de courrier télématique ou adresse télématique, messagerie télématique, message télématique, télémessage, dépêche].

ÉNERGISANT

Une nourriture FORTIFIANTE. *Climat* TONIFIANT. *L'air frais* REVIGORANT. *Une substance* STIMULANTE. *Un régime* RECONSTITUANT.

○ Fortifiant, tonifiant, revigorant, stimulant, reconstituant, roboratif, tonique.

ENGINEERING

*Société d'*INGÉNIERIE. *Diplômé en* GÉNIE *informatique.*

○ RECOMM. OFFIC. ingénierie, génie (industriel, génétique, informatique, etc.), savoir-faire, métier.

ESCALATOR

*Des enfants essayaient de gravir l'*ESCALIER MÉCANIQUE *à contresens.*

⇨ *Escalator* est une marque déposée. La consonance latine du mot pourrait justifier son maintien dans la langue française.

○ RECOMM. OFFIC. escalier mécanique, escalier roulant.

ESCORT GIRL

Louer les services d'une charmante ACCOMPAGNATRICE.

○ Accompagnatrice, fille d'escorte, hôtesse.

ESTABLISHMENT

*« Le petit bourgeois [...] dépend tout entier de l'*ORDRE ÉTABLI *[...] qu'il aime comme lui-même »* (Georges Bernanos). *« Le respect naïf et machinal de l'*ORDRE ÉTABLI » (Roger Caillois).

❍ Ordre établi, système en place, institutions, classe dominante, classe dirigeante, privilégiés, bourgeoisie, grande bourgeoisie, haute société, élite, aristocratie.

ÉTÉ INDIEN

*Cette année encore, l'*ÉTÉ DE LA SAINT-MARTIN *était au rendez-vous.*

⇨ L'*été indien* ne peut être indien qu'aux États-Unis ! Avant de devenir évêque de Tours au IVe siècle, l'officier Martin prit en pitié un mendiant souffrant du froid au cours d'un mois de novembre particulièrement glacé. Pour lui porter secours, il déchira sa propre cape d'un coup d'épée et lui en tendit la moitié. La nuit tombée, saint Martin perçut en rêve Jésus recouvert de la moitié de sa cape. Les jours suivants virent le temps s'adoucir, la brise se réchauffer, les arbres reverdir et les fleurs refleurir. L'été de la Saint-Martin était né.

❍ Été de la Saint-Martin.

EUROLAND

La France, l'Allemagne, la Belgique font, entre autres, partie de la ZONE EURO.

⇨ FINANCE. Il n'y a pas plus d'« euroland » que de « dollarland ». Tout au plus existe-t-il un Disneyland.
❍ Zone euro.

EXCITING

Un film PASSIONNANT. *Plonger d'une falaise est une expérience* GRISANTE. *Un projet peu* MOTIVANT. – *Une tenue très* PROVOCANTE. *Une vision* EXCITANTE.
❍ Passionnant, enthousiasmant, captivant, prenant, fascinant, motivant, grisant, excitant – provocant, émoustillant, affriolant, excitant.

EXECUTIVE MANAGER

Sur sa carte de visite figure la mention : DIRECTEUR *financier.*
❍ Directeur, cadre de direction, décideur.

EXPERTISE

⇨ GLISSEMENT DE SENS. L'*expertise* a toujours été en français une étude, une estimation détaillée réalisée par un expert. Sous l'influence de l'anglais, ce mot prend également le sens de « compétence » d'un expert. Cela peut engendrer certaines confusions, car il est impossible de comprendre si l'*expertise d'un antiquaire* s'applique à l'étude qu'il mène pour déterminer l'authenticité d'un meuble ou désigne seulement sa compétence.

L'~~EXPERTISE~~ *d'un antiquaire : la* COMPÉTENCE *d'un antiquaire.*

EXTRA-DRY

Un champagne BRUT. *Se faire servir un Martini* TRÈS SEC.

⇨ Contrairement à ce que l'on pourrait croire, le champagne extra-dry n'est pas aussi sec que le brut (en général le meilleur). Un champagne brut a une teneur en sucre inférieure à 2 %.

❍ Brut, très sec.

EYE-LINER

Un SOULIGNEUR DE PAUPIÈRES *rehaussait son regard.*

❍ Souligneur de paupières, contour des yeux.

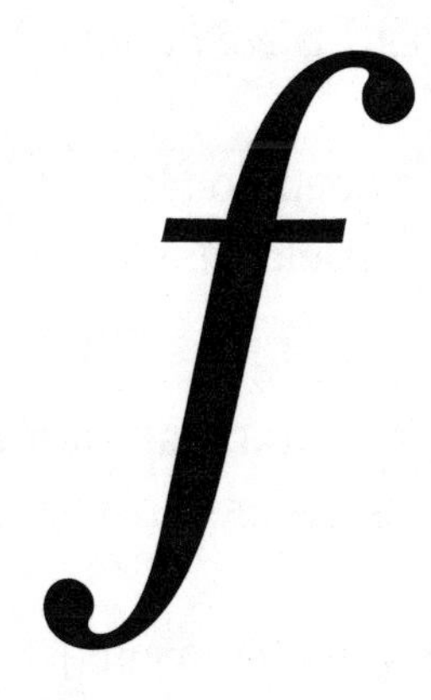

FAIR-PLAY

Il n'est pas très RÉGULIER *en affaires. Il est très* SPORT. – *Il a fait preuve d'une grande* CORRECTION *dans cette rencontre. Il a toujours su se montrer* BEAU JOUEUR. *La rencontre s'est disputée à la* LOYALE. *Sa* BONNE FOI *n'est pas mise en doute.*

O Régulier, correct, sport – correction, beau joueur, loyale, RECOMM. OFFIC. franc-jeu, bonne foi.

FAIRWAY

Dès le coup d'entrée, sa balle avait quitté le TRACÉ DE JEU.

⇨ GOLF.

O PROP. [tracé de jeu].

FAN

Les ADMIRATRICES *de Madonna. Un* INCONDITIONNEL *du hors-piste.* FÉRU *d'équitation. Il a toujours été* AMATEUR *d'art.*

○ Admirateur, inconditionnel, idolâtre, fanatique, passionné, féru, amateur, fondu.

FAN-CLUB

Mon CERCLE DES ADMIRATEURS *était là pour me soutenir. Écrire au* CERCLE DES ADMIRATEURS *d'un chanteur.*

○ PROP. [cercle des admirateurs].

FAR WEST

*L'*OUEST AMÉRICAIN *a toujours été riche de promesses. La conquête de l'*OUEST.

○ Ouest américain.

FASHION

Un vêtement très TENDANCE. *C'est très* MODE *!* *S'habiller à la dernière* MODE. *C'est passé de* MODE. *Ne pas être dans le* TON.

○ Tendance, mode, ton, en vogue.

FASHIONABLE

Toilette ÉLÉGANTE. *Un accessoire très* TENDANCE.

○ Élégant, chic, recherché, mode, tendance, raffiné.

FAST-FOOD

La RESTAURATION RAPIDE *aura-t-elle raison du bon goût français ? Se nourrir à peu de frais dans des* PRÊTS-À-MANGER.

○ RECOMM. OFFIC. restauration rapide, prêt-à-manger.

FAST-FORWARD

*Le bouton d'*AVANCE RAPIDE *s'était bloqué inopinément.*

○ Avance rapide.

FAX

Recevoir des TÉLÉCOPIES *de Londres, de New York. Un téléphone qui fait aussi office de* TÉLÉCOPIEUR. *Tél. et* TLC.

⇨ Abréviation : *tlc.*

○ Télécopie, télécopieur.

FAXER

Vous pouvez me TÉLÉCOPIER *ce document.*

○ Télécopier, envoyer une télécopie.

FEED-BACK

« Nos actes ont sur nous une RÉTROACTION *»* (André Gide). AUTORÉGULATION *des paramètres vitaux. Disposer d'informations* EN RETOUR. *« Rien ne se passe en une des parties du corps qui n'ait sa* RÉPERCUSSION *dans toutes les autres »* (Alain).

○ RECOMM. OFFIC. rétroaction, contre-réaction, autorégulation, autoréglage, ajustement, en retour, répercussion, boucle.

FEELING

*Il a agi d'*INSTINCT. *Se fier à son* INTUITION. – *Ce genre d'affaire demande du* DOIGTÉ. – *Cette voiture donne une* IMPRESSION *de sécurité. Quelle* SENSATION !

○ Instinct, intuition, flair, clairvoyance – discernement, doigté, tact, sens relationnel – sensation, impression, sentiment, émotion, sensibilité.

FERRY-BOAT

Les fjords norvégiens se traversent en BAC *; la Manche, par* TRANSBORDEUR.

⇨ Le transbordeur est un navire ayant pour fonction de transporter des véhicules et leurs passagers dans les traversées maritimes. Voir aussi *car-ferry*.

○ RECOMM. OFFIC. transbordeur, navire transbordeur, bac, traversier (Québec).

FIFTY-FIFTY

Partageons les bénéfices À PARTS ÉGALES. *Je suis de* MOITIÉ *avec lui dans cette affaire. Coupons* LA POIRE EN DEUX.

○ À parts égales, moitié, la poire en deux, moitié-moitié.

FINISH

Gagner À L'ARRACHÉ. *J'ai coiffé mon adversaire* SUR LE FIL. *Coiffer un concurrent* SUR LE POTEAU. *Cela s'est joué* D'UN RIEN. *Il a tout donné dans la* DERNIÈRE LIGNE DROITE.

❍ RECOMM. OFFIC. à l'arraché, sur le fil, sur le poteau, d'un rien, dernière ligne droite.

FITNESS

Une séance de MISE EN FORME. *Un centre de* REMISE EN FORME.

❍ Mise en forme, remise en forme.

FIVE O'CLOCK TEA

Elle aimait à inviter ses amies pour le THÉ DE L'APRÈS-MIDI.

❍ Thé de l'après-midi, thé de fin d'après-midi, collation de quatre heures, thé de jardin.

FIXING

La valeur d'une devise au FIXAGE.

⇨ FINANCE.

❍ Fixage.

FLASH

Éblouie par les ÉCLAIRS *des photographes. Appareil photo avec* FULGURATEUR *intégré. Prendre une photo à l'*INSTANTANÉ. *Loto système* INSTANTANÉ *ou* ÉCLAIR. *Prendre un* INSTANTANÉ *au Keno. – L'émission fut* *interrompue par un* BULLETIN SPÉCIAL D'INFORMATION. *Le sous-marin reçut un* MESSAGE ÉCLAIR. – *Elle eut une* VISION *soudaine. J'eus tout à coup une* INSPIRATION. – *« La* RÉMINISCENCE *est comme l'ombre du souvenir »* (Joseph Joubert).

⇨ Du latin *fulgurare*, le verbe *fulgurer* signifie « briller comme l'éclair, d'un éclat vif et passager ». Gustave Flaubert écrivait : « une volonté superbe *fulgurait* dans ses yeux ». On peut aisément construire le mot *fulgurateur* ou *illuminateur* en remplacement du flash intégré des appareils photo.

❍ Éclair (de magnésium ou électronique), PROP. [fulgurateur, illuminateur], instantané – message éclair, bulletin spécial d'information, page de publicité – idée soudaine, inspiration, vision – souvenir, réminiscence.

FLASHANT

Une décoration un peu TAPE-À-L'ŒIL. *Couleur* CRIARDE. – *Une lumière* ÉBLOUISSANTE.

❍ Tape-à-l'œil, clinquant, voyant, criard, ostentatoire – brillant, éclatant, aveuglant, éblouissant.

FLASH-BACK

L'émission était entrecoupée d'un bref RETOUR EN ARRIÈRE. – *L'examen* RÉTROSPECTIF *de sa carrière le convainquit de ses bons choix.*

○ RECOMM. OFFIC. retour en arrière, rappel éclair, retour visuel – rétrospective, souvenir.

FLASHER

*J'*AI EU LE COUP DE FOUDRE *pour ce tableau. Il* S'EST ENTICHÉ *de cette jeune fille. Le public féminin* S'ENFLAMME *pour ce jeune acteur. Elle m'a* ENSORCELÉ *dès que je l'ai vue. – L'automobiliste a été* ENREGISTRÉ *à plus de cent trente kilomètres à l'heure. Un gendarme l'a* SURPRIS *en excès de vitesse.*

○ Avoir le coup de foudre, s'enticher, s'enflammer, ensorceler – enregistrer, contrôler, verbaliser, surprendre, prendre sur le fait.

FLIPPER

Jouer au BILLARD ÉLECTRIQUE.

○ Billard électrique.

FLIRT

Une AMOURETTE *de vacances. Cette* IDYLLE *dura le temps d'une saison. Il a eu de nombreuses* AVENTURES. *Il a une* LIAISON *avec cette femme. – Elle me présenta son nouvel* AMOUREUX.

○ Amourette, idylle, passade, liaison, aventure, caprice, intrigue amoureuse, énamourement – amoureux, soupirant.

FLIRTER

COURTISER *était son plaisir. Il commence à* FRÉQUENTER. – *Tous deux* MARIVAUDAIENT *à l'écart des invités.*
❍ Courtiser, conter fleurette, faire la cour, courir les filles, fréquenter, papillonner – marivauder, badiner, folâtrer – aguicher.

FLUSH

Annoncer une QUINTE.
❍ Quinte.

FM

Écouter une émission en MODULATION DE FRÉQUENCE.
❍ Modulation de fréquence.

FONDAMENTAUX

Les INDICES MACROÉCONOMIQUES *sont bons.*
⇨ FINANCE. Les *fondamentaux* sont la traduction littérale des *fundamentals* anglais, c'est-à-dire les indices ou indicateurs généraux de la santé économique d'une nation.
❍ Indices macroéconomiques, indicateurs conjoncturels ou structurels.

FONT

Choisir avec soin une POLICE DE CARACTÈRES *puis imprimer le texte en corps 9.*
⇨ INFORMATIQUE.
❍ Police de caractères.

FOOTBALL

⇨ SPORT. Pour les puristes : ballon rond, balle au pied, jeu à onze.

FOOTING

Une demi-heure de MARCHE *chaque matin.* PROMENADE *à la campagne.*

⇨ Les fervents admirateurs des anglicismes en tout genre doivent savoir que ce mot anglais détourné de son sens désigne une *marche* et non une course à pied comme *jogging* (voir ce mot).

❍ Marche, promenade, balade.

FORCING

Il a DONNÉ SON MAXIMUM *dans cette affaire. Il a gagné cette rencontre* DE VIVE LUTTE. *Il a terminé sa course* EN FORCE. *Il voulait* À TOUTE FORCE *que nous l'accompagnions.* FORCER *la chance. Il a dû* INSISTER *pour faire signer les deux parties. – Une véritable* ÉPREUVE DE FORCE.

⇨ L'expression *donner un coup de collier* se réfère au harnais qui entoure le cou des bêtes attelées. Elle évoque un effort intense et momentané.

❍ Donner son maximum, se donner à fond, employer les grands moyens, faire pression, mettre le paquet, donner un coup de collier, à toute force, en force, forcer, de haute lutte, de vive lutte, insister – épreuve de force.

FORMAT, FORMATER

⇨ GLISSEMENT DE SENS. Le *format* décrit la taille, les dimensions d'une feuille, d'un imprimé. Dans le domaine de l'informatique et sous l'influence de l'anglais, ce nom est utilisé à tort pour désigner la mise en page ou la disposition de données sur un listage. ~~FORMAT~~ *d'impression :* MISE EN PAGE. ~~FORMATER~~ *un texte :* METTRE EN PAGE *un texte.*

FOUR WHEEL DRIVE

Un luxueux QUATRE-QUATRE. *Un véhicule* TOUT-TERRAIN.

❍ Quatre-quatre (s'écrit aussi 4 × 4), à quatre roues motrices, tout-terrain.

FREE-LANCE

Un journaliste INDÉPENDANT *avait couvert les événements d'Indonésie. Travailler* À SON COMPTE.

❍ Indépendant, à son compte.

FREEWARE

Se procurer un LOGICIEL PUBLIC *de cryptage.*

⇨ INFORMATIQUE.

❍ Logiciel public, gratuiciel.

FREEZER

Mettre une bouteille de champagne dans le COMPARTIMENT DE CONGÉLATION. *Un réfrigérateur-*CONGÉLATEUR. SORBETIÈRE *électrique à pales.*

❍ Compartiment de congélation, compartiment à glace, congélateur, sorbetière.

FRISBEE

Jouer au DISQUE VOLANT.

⇨ Originellement, le disque n'est rien d'autre qu'un palet de pierre ou de métal que les athlètes grecs s'exerçaient à lancer. En raison de son analogie de forme, ce mot a été utilisé dans de nombreux autres domaines : disque de stationnement, disque audio, disque lombaire, etc.

❍ Disque volant, palet volant, assiette volante.

FUEL

Une chaudière à MAZOUT.

⇨ *Fioul* (RECOMM. OFFIC.) n'est que la francisation de *fuel* et doit être délaissé au profit de *mazout*.

❍ Mazout.

FULL

Une MAIN PLEINE *comprenant un brelan de dames et une paire d'as.*

❍ Main pleine.

FULL-CONTACT

Pratiquer la BOXE AMÉRICAINE.

⇨ SPORT.

❍ Boxe américaine.

FULL-FRONTAL

Ce photographe avait une prédilection pour le NU INTÉGRAL. *La couverture de ce mensuel proposait un* NU DE FACE *plutôt artistique.*

❍ Nudité intégrale, nu de face.

FULL TIME

Travailler À PLEIN TEMPS.

❍ À plein temps, à temps complet.

FUN

Sa pratique du ski n'avait rien de sérieux ; il cherchait avant tout le PLAISIR. *Je le fais pour* L'AGRÉMENT. *« Le* DIVERTISSEMENT *nous amuse et nous fait arriver insensiblement à la mort »* (Blaise Pascal). – *Activité* LUDIQUE *des enfants. Jeu* AMUSANT.

❍ Amusement, divertissement, récréation, plaisir, joie, ludisme – ludique, joyeux, amusant, plaisant, drôle, divertissant, distrayant, délassant, récréatif.

FUNBOARD

Adepte de la PLANCHE À VOILE D'ACROBATIE.

⇨ SPORT.

❍ Planche à voile d'acrobatie.

FUTUR

⇨ GLISSEMENT DE SENS. Sous l'influence de l'anglais, *futur* est abusivement employé pour *avenir*. Le *futur* est *stricto sensu* la partie du temps qui vient après le présent, alors que l'*avenir*, « les choses à venir », évoque les événements susceptibles de se produire dans le temps à venir.

Dans ~~LE FUTUR~~ *:* À L'AVENIR. *Lire* ~~LE FUTUR~~ *: lire* L'AVENIR.

g

GADGET

ACCESSOIRE *électronique. Toutes ces options relèvent de l'*AMUSETTE. – *Cette loi n'est qu'un* ARTIFICE.

⇨ *Gadget* est fortement implanté dans la langue. Les équivalents proposés ne semblent pas toujours satisfaisants et appartiennent parfois au registre familier.

❍ Accessoire, dispositif, système, bagatelle, amusette, vétille, broutille, accroche, joujou, bricole, babiole, bibelot, machin, truc, chose – artifice, astuce.

GAG

Cet acteur avait été la victime d'un CANULAR *filmé à son insu. Préparer une* FARCE. *Être victime d'une* FACÉTIE. *Son registre se situe surtout dans le*

BURLESQUE. – *C'est toujours la même* HISTOIRE. *C'est une mauvaise* PLAISANTERIE *qui se répète.*

❍ Canular, farce, facétie, blague, mystification, plaisanterie, attrape, effet comique, mise en scène comique, burlesque – histoire, scénario, plaisanterie, humour, bizarrerie.

GAGMAN

Un MYSTIFICATEUR *de talent. C'est un* PLAISANTIN, *mais il n'est pas méchant.*

❍ Farceur, mystificateur, comique, plaisantin.

GALLON

⇨ Mesure de capacité équivalent à 4,54 litres en Grande-Bretagne et au Canada mais à 3,78 litres aux États-Unis.

GAME BOY

Les CONSOLES DE JEU *s'achètent aussi vite qu'elles se remisent au fond du grenier.*

❍ Console de jeu (vidéo).

GANG

Appréhender une BANDE DE MALFAITEURS.

❍ Bande organisée, bande de malfaiteurs, association de malfaiteurs, groupe terroriste.

GANGSTER

La police avait placé sous surveillance rapprochée un MALFAITEUR *multirécidiviste.*

○ Malfaiteur, malfrat, criminel, truand, bandit, hors-la-loi, voyou, pirate.

GAP

RETARD *économique. Combler l'*ÉCART. DÉCALAGE *technologique.* DIFFÉRENTIEL *d'inflation, de prix, de croissance.*

○ Retard, décalage, écart, différence, différentiel.

GARDEN CENTER

Une JARDINERIE *bien fournie en plantes exotiques.*

○ Jardinerie, magasin de plantes.

GARDEN-PARTY

Juillet est le mois privilégié des RÉCEPTIONS DE PLEIN AIR. *Quoi de plus agréable qu'un* THÉ DE JARDIN *pris entre amis près de la roseraie en fleur.*

⇨ *Partie de jardin* est construit sur le modèle d'une partie de chasse, une partie de tennis ou une partie de plaisir.

○ Réception de plein air, thé de jardin, réception de jardin, partie de jardin, réception champêtre, fête champêtre.

GASOIL

Le prix du GAZOLE *a une fois de plus augmenté.*

○ Gazole.

GAY

Un sauna ANDROPHILE. *L'*URANISME *n'est plus montré du doigt comme par le passé.*

⇨ *Gay*, traduit littéralement en *gai*, a été créé pour remplacer *homo* considéré comme injurieux. L'engouement pour cet euphémisme mélioratif et le risque de confusion avec le sens véritable de *gai*, « joyeux », sont si grands qu'une dérive de sens est à craindre. *Androphile*, « qui aime les hommes », est proposé pour se substituer à *gay*.

○ Androphile, homophile, homosexuel – uranisme.

GENTLEMAN

Agir en GENTILHOMME. *C'est un grand* MONSIEUR, *une* ÂME BIEN NÉE. *Un* HOMME DE QUALITÉ.

○ Gentilhomme, monsieur, âme bien née, homme du monde, homme de qualité, honnête homme, homme de bien.

GENTLEMAN-FARMER

Un GENTILHOMME CAMPAGNARD *entre deux âges.*

○ Gentilhomme campagnard.

GENTLEMEN'S AGREEMENT

Considérez cela comme un ENGAGEMENT MORAL *entre honnêtes hommes. Je vous donne ma* PAROLE D'HONNEUR. *Je vous en réponds* SUR MON HONNEUR. *Rien n'est écrit, il s'agit d'un* CONTRAT CONSENSUEL.

❍ Engagement moral, parole d'honneur, parole de gentilhomme, (accord) sur l'honneur, contrat consensuel.

GENTRY

Il appartenait à la PETITE NOBLESSE *d'Angleterre. Toute la* FINE FLEUR *de Londres avait été conviée à son mariage.*

❍ Petite noblesse, haute société, haute bourgeoisie, fine fleur (de la société).

GIMMICK

Un EFFET *visuel réalisé pour un but publicitaire.*

❍ Effet, artifice, illusion, tromperie, numéro, astuce, effets spéciaux, trucage.

GIRL

DANSEUSE *de cabaret.* MENEUSE *de revue.*

❍ Danseuse, meneuse.

GLAMOUR

*L'*ÉCLAT *et le* PRESTIGE *hollywoodien. L'*ÉLÉGANCE *des années cinquante.*

❍ Éclat, prestige, apparat, élégance, charme, séduction, grâce, distinction.

GLAMOUREUX

Un style CHARMANT. – *Ce magazine présentait le monde sous un jour un peu* MIÈVRE.

○ Charmant, séduisant, gracieux, prestigieux – mièvre, doucereux, gentillet.

GLOBE-TROTTEUR

Les pérégrinations de ce GRAND VOYAGEUR.

○ Grand voyageur, voyageur infatigable, bourlingueur, routard, touriste, explorateur.

GLUE STICK

Un ruban adhésif ou un BÂTON DE GLU.

⇨ *Glu* est issu du bas latin et s'est toujours écrit sans *e* en français.

○ Bâton de colle, bâton ou bâtonnet de glu.

GOAL

Un BUT *marqué en deuxième mi-temps. Le* GARDIEN DE BUT *de l'équipe de France.*

⇨ SPORT.

○ But, gardien de but.

GOAL-AVERAGE

Départager deux équipes au DÉCOMPTE DES BUTS.

⇨ SPORT.

○ Décompte des buts.

GO HOME !

DEHORS, *les Américains !* RENTREZ CHEZ VOUS *!* À LA NICHE *!*

○ Dehors, rentrez chez vous, à la porte, à la niche.

GOLDEN BOY

Tous ces ENFANTS DE LA BOURSE *riches et arrogants un jour, ruinés et dépités le lendemain.*

⇨ FINANCE. La formule *enfant de la Bourse* est construite sur le modèle d'enfant de la balle.

❍ PROP. [enfant de la Bourse].

GRADE

Une huile de faible INDICE DE VISCOSITÉ.

❍ Indice de viscosité.

GRAPE-FRUIT

Un POMELO *d'une belle couleur.*

❍ Pomelo.

GREEN

Envoyer la balle sur le VERT-TENDRE.

⇨ GOLF.

❍ PROP. [vert-tendre, tapis vert].

GREEN FEE

Un DROIT DE JEU *exorbitant.*

⇨ GOLF.

❍ Droit de jeu.

GRILL-ROOM

Cette RÔTISSERIE *proposait les meilleures grillades de la région.*

❍ Rôtisserie.

GROGGY

Le coup de poing l'a ÉTOURDI.

❍ Étourdi, assommé, sonné.

GROOM

Le CHASSEUR *de l'hôtel va vous appeler un taxi. Je vous envoie un* COURSIER.

❍ Chasseur, coursier, garçon de courses, commissionnaire, saute-ruisseau – palefrenier.

GROUPIE

Une INCONDITIONNELLE *présente à tous les concerts.*

⇨ La passion de cette personne l'incite à suivre son ou ses idoles dans leurs déplacements.

❍ Inconditionnelle, admiratrice.

GROUSE

La battue aux LAGOPÈDES *se déroulait dans la lande.*

❍ Lagopède d'Écosse, coq de bruyère d'Écosse.

HACKER

Un FOUINEUR *a cassé le code d'entrée. Les Allemands se sont fait une spécialité du* PIRATAGE INFORMATIQUE.

⇨ INFORMATIQUE. *Fouineur* est une proposition de la Commission générale de terminologie et de néologie.

○ Fouineur, pirate (informatique), piratage (pour *hacking*).

HADDOCK

Un ÉGLEFIN FUMÉ *à la crème.*

○ Églefin fumé.

HALF-TRACK

Un SEMI-CHENILLÉ *en perdition dans le désert.*

○ Semi-chenillé, autochenille.

HALL

Attendre dans le VESTIBULE. « *J'aime les* PORCHES *bien chauffés et garnis de riches tapis* » (Honoré de Balzac). – *La* SALLE DES PAS PERDUS *de la gare.* SALLE *d'embarquement de l'aéroport.*

⇨ *Porche* a deux significations ; il désigne aussi un vestibule.

○ Vestibule, entrée, porche – salle, salle des pas perdus, espace aéré.

HALLOWEEN

La NUIT DES REVENANTS *est une aubaine pour les commerçants mais elle occulte son lien avec la Toussaint, fête du souvenir des morts.*

⇨ La *nuit des revenants* ne doit pas se confondre avec la nuit des sorcières, qui se déroule à la mi-carême.

○ PROP. [nuit des revenants, nuit des citrouilles, mascarade du 31 octobre].

HAMBURGER

Donnez-moi un HACHÉ *simple et deux* DOUBLE-HACHÉS AU FROMAGE, *s'il vous plaît. L'*EN-CAS AMÉRICAIN *ne se consomme qu'en cas de besoin : si l'on ne trouve rien d'autre de mieux à se mettre sous la dent.*

○ PROP. [haché (américain), double-haché, en-cas américain].

HAPPENING

*L'*ÉVÉNEMENT *de la rentrée. Assister à une* PREMIÈRE. *Un* SPECTACLE-SURPRISE *au château de Versailles.*

○ Première, événement, soirée mondaine, spectacle, spectacle-surprise, vernissage, attraction, représentation.

HAPPY END

Ce film se terminait sur une FIN HEUREUSE. *Cette histoire* S'ACHEVAIT *sur une* NOTE HEUREUSE. TOUT EST BIEN QUI FINIT BIEN.

○ Fin (ou chute, ou dénouement) heureuse, s'achever sur une note heureuse, finir en beauté, tout est bien qui finit bien, tout finit par des chansons.

HAPPY FEW

Quelques rares PRIVILÉGIÉS *assistaient au dîner.*

○ Privilégiés, petit cercle de privilégiés, heureux élus.

HARD, HARDCORE

Des images très CRUES. *Un spectacle* PORNOGRAPHIQUE. *Une scène* TORRIDE. – *De la musique* EXTRÊME.

○ Cru, poussé, débridé, osé, torride, explicite, pornographique, lubrique, licencieux, impudique, débauché, indécent, libidineux, sexuel – dur, extrême, brutal.

HARDCORE GAMER

Ce logiciel de jeu a pour cible les JOUEURS INVÉTÉRÉS *que sont devenus de nombreux adolescents.*

⇨ INFORMATIQUE.

❍ Joueur invétéré.

HARD DISK

Un DISQUE DUR *de grande capacité.*

⇨ INFORMATIQUE. Le sigle anglais *HD* se remplace par *DD*.

❍ Disque dur, DD.

HARDWARE

Aujourd'hui le MATÉRIEL INFORMATIQUE *coûte souvent moins cher que la partie logicielle.*

⇨ INFORMATIQUE.

❍ RECOMM. OFFIC. matériel (informatique).

HAS BEEN

Un acteur EN DÉCLIN. *Il* A CONNU SON HEURE DE GLOIRE. *Il est aujourd'hui complètement* PASSÉ DE MODE.

❍ En déclin, passé de mode, avoir connu son heure de gloire, fini, de notoriété échue, dépassé, révolu, archaïsant.

HI-FI

Une chaîne HAUTE-FIDÉLITÉ.

❍ Haute-fidélité.

HIGH-TECH

Un procédé de HAUTE TECHNOLOGIE. *Industrie* DE POINTE. *Des produits très* ÉLABORÉS.

❍ Haute technologie, technologies avancées (de pointe, d'avant-garde), élaboré, ultra-modernisme, complexité.

HIT

Un disque rassemblant les plus grands SUCCÈS *d'un chanteur.*

❍ Succès, tube.

HIT-PARADE

Premier au PALMARÈS *des ventes. Le* CLASSEMENT *des meilleurs succès.*

❍ RECOMM. OFFIC. palmarès, classement, tableau d'honneur.

HIV

Le VIH *est l'agent viral responsable de la maladie du sida.*

⇨ *VIH* est le sigle de virus de l'immunodéficience humaine.

❍ VIH.

HOBBY

Peindre est mon PASSE-TEMPS *favori, presque un* VIOLON D'INGRES.

❍ Passe-temps, violon d'Ingres, marotte, dada, loisir, occupation, centre d'intérêt, délassement, distraction.

HOLDING

Se constituer en SOCIÉTÉ DE PORTEFEUILLE.

⇨ FINANCE.

❍ Société de portefeuille, société mère.

HOLD-UP

Cinq VOLS À MAIN ARMÉE *en moins de deux mois chez les grands bijoutiers de Paris.*

❍ Vol ou attaque à main armée.

HOLSTER

Son arme de service est dissimulée dans son ÉTUI À REVOLVER.

❍ Étui à revolver (à téléphone).

HOME

1 – *La chaleur du* FOYER. *Travailler à* DOMICILE.

⇨ *At home* : chez-soi, à la maison, au foyer. *Home life* : vie de famille. *Home service* : service ou livraison à domicile.

❍ Foyer, maison, domicile, chez-soi, famille, logis, habitat.

2 – *Inauguration d'une* MAISON DE RETRAITE.

⇨ *Home* est souvent utilisé en Belgique et en Suisse pour désigner une *maison de retraite*.
❍ Maison de retraite, foyer pour personnes âgées, centre d'accueil, centre d'hébergement.

HOME PAGE
Consultez ma PAGE D'ACCUEIL *sur l'Internet.*
⇨ INFORMATIQUE. *Page d'accueil* est proposé par la Commission générale de terminologie et de néologie.
❍ Page d'accueil, enseigne, portail.

HOME-SITTING
Le GARDIENNAGE *des propriétés privées, assuré par des retraités bénévoles, est en pleine expansion.*
❍ Gardiennage, surveillance à domicile.

HOME-TRAINER
S'entraîner au RAMEUR.
❍ Appareil d'entraînement physique ou de musculation, rameur, vélo d'appartement.

HOMME-SANDWICH
Un HOMME-PUBLICITÉ *arpentait inlassablement le trottoir.*
❍ Homme-publicité, porte-réclame.

HOOLIGAN
Que faire de ces bataillons de VANDALES *qui ne savent que détruire ?*
❍ Vandale, casseur, voyou, fauteur de trouble.

HOT

Un spectacle très CHAUD.

❍ Chaud, torride, ardent, cru, explicite, osé, obscène, licencieux, lascif, sensuel, voluptueux, impudique.

HOT-DOG

Un PAIN-SAUCISSE *recouvert de moutarde et de sauce tomate à l'américaine.*

❍ PROP. [pain-saucisse].

HOT LINE

Vous pouvez appeler le NUMÉRO D'URGENCE *en cas de problème.*

❍ Numéro d'urgence, numéro spécial, permanence téléphonique – téléphone rose.

HOT MONEY

Les CAPITAUX SPÉCULATIFS *gouvernent l'économie mondiale.*

⇨ FINANCE.

❍ Capitaux fébriles ou spéculatifs, capitaux flottants.

HOUSE-BOAT

Cet artiste aimait à s'isoler dans sa PÉNICHE AMÉNAGÉE.

⇨ Le terme « coche de plaisance » a été formé à

l'image de l'ancienne expression « coche d'eau », grand chaland de rivière, halé par des chevaux.
❍ Barge ou péniche aménagée, maison (habitation) flottante, RECOMM. OFFIC. coche (de plaisance).

HOVERCRAFT
Traverser la Manche en AÉROGLISSEUR.
❍ Aéroglisseur, naviplane, hydroglisseur.

HURRICANE
Un CYCLONE *a dévasté une partie de Cuba.*
⇨ *Hurricane* est un terme spécifique à l'Amérique centrale.
❍ Cyclone, ouragan.

HYDROFOIL
Un HYDROPTÈRE *relie Hongkong à Macao.*
⇨ Ce navire muni d'ailes se soulève hors de l'eau à grande vitesse. Il ne faut pas le confondre avec l'aéroglisseur. Le suffixe *-ptère* indique la présence d'ailes.
❍ RECOMM. OFFIC. hydroptère.

ICE CREAM

Une GLACE *à la vanille. Un* PARFAIT *à la fraise. Un* BÂTONNET GLACÉ.

❍ Glace, glace à la crème, cône, cornet, bâtonnet glacé, parfait, sorbet, cassate, plombières, esquimau, mystère, citron ou orange givrés.

IMPEACHMENT

La procédure de MISE EN ACCUSATION *de Bill Clinton.*

❍ Mise en accusation, procédure de destitution.

IMPULSER

STIMULER *un secteur industriel.* LANCER *un mouvement revendicatif.* PROMOUVOIR *la recherche scientifique.*

❍ Stimuler, lancer, encourager, promouvoir, animer, provoquer l'essor, mettre en mouvement.

IN

Une boîte de nuit DANS LE VENT. *Une plage* À LA MODE. *Le restaurant le plus* EN VUE *de l'île. Le cuir est aujourd'hui très* TENDANCE. *Cette coutume est toujours* EN HONNEUR. *Une tradition qui n'est plus* EN VOGUE. *Rester* À LA PAGE.

❍ Dans le vent, à la mode, en vue, tendance, en honneur, en vogue, dans la course, dans l'air du temps, à la page.

INCAPACITANT

Une unité militaire a été mise hors de combat par l'émission d'une substance toxique PARALYSANTE.

❍ Paralysant, étourdissant.

INCENTIVE

Recevoir une PRIME *spéciale pour avoir atteint ses objectifs commerciaux.*

⇨ *Incentive-tour*, *incentive-travel* se traduisent par *voyage de stimulation.*

❍ Prime, voyage d'encouragement (ou de motivation, ou de stimulation).

INDOOR

Championnat EN SALLE. *Le tournoi de Bercy se dispute sur court* COUVERT.

❍ En salle, couvert.

INFORMEL

⇨ GLISSEMENT DE SENS. Employé dans le sens de « ce qui n'est pas organisé de manière officielle », *informel* est un anglicisme maladroit. Car qui croirait qu'une rencontre discrète entre deux chefs d'État puisse se faire de manière informelle, « sans formes », c'est-à-dire à la bonne franquette ? Cette réunion peut n'avoir aucun caractère officiel, elle n'en respectera pas moins les formes, l'étiquette.

Réunion ~~INFORMELLE~~ *: réunion* SANS CARACTÈRE OFFICIEL.

⇨ Pris dans le sens d'« improvisé », *informel* est acceptable. On peut néanmoins lui substituer la locution *à bâtons rompus*, ou dire que la réunion est *improvisée* ou qu'elle se déroule *sans ordre du jour.*

INGÉNIEUR DU SON

⇨ GLISSEMENT DE SENS. Traduction malhabile de *sound engineer*, l'*ingénieur du son* est plus exactement un *technicien du son* ou un *preneur de son.*

~~INGÉNIEUR DU SON~~ : PRENEUR DE SON.

INITIALISER

FORMATER *une disquette.*

⇨ INFORMATIQUE.

○ Formater.

INITIER

⇨ GLISSEMENT DE SENS. Sous l'influence de l'anglais, *initier* cherche à prendre le sens de « commencer » ou d'« entamer ». Anglicisme parfaitement inutile et regrettable. L'acception classique d'*initier* est « instruire, enseigner, faire accéder à une connaissance ».

~~INITIER~~ *un processus :* ENTAMER *ou* DÉMARRER *un processus.* ~~INITIER~~ *une action d'envergure :* ENTREPRENDRE *une action d'envergure.* ~~INITIER~~ *une campagne publicitaire :* LANCER *une campagne publicitaire.*

INLAY

1 – *Décoration faite par* INCRUSTATION. *Colonne de marbre blanc avec* INCRUSTATIONS *de lapis. La lame* DAMASQUINÉE *à l'or de cette épée.*

⇨ BIJOUTERIE, MARQUETERIE.

○ Incrustation, damasquinage.

2 – *Une molaire reconstituée par une* OBTURATION COULÉE *céramo-métallique.*

⇨ DENTISTERIE.

○ Obturation coulée.

INPUT, OUTPUT

Traiter le SIGNAL D'ENTRÉE *(ou* DE SORTIE*).*

⇨ INFORMATIQUE. L'*input-output* se traduit par *entrée-sortie*.

○ Entrée, signal d'entrée, donnée saisie, donnée entrante – sortie, signal de sortie, donnée sortante.

INSERT

Un ENCART *publicitaire.* INSERTION *d'un plan dans un film.* INSERTION *d'une clause dans un contrat.* INCRUSTATION *d'un élément décoratif dans une robe. Épreuve surchargée d'*AJOUTS. *L'*ADDITION *d'une preuve au dossier.*

○ Encart, insertion, annonce, entrefilet, incrustation, ajout, addition.

INTERLOCK

Tissu INDÉMAILLABLE. *Une combinaison de nuit en* INDÉMAILLABLE.

○ Indémaillable.

INTERVIEW

Faire des révélations au cours d'un ENTRETIEN TÉLÉVISÉ. *Un journaliste a sollicité une* ENTREVUE. *Recevoir en* AUDIENCE. *Un* ÉCHANGE *de vues. Une* CAUSERIE *littéraire. – L'*ALLOCUTION *du président.*

⇨ *Interview* est un mot anglais qui dérive du mot français *entrevue*. L'*entrevue* est une rencontre à proprement parler (se voir mutuellement). L'*entretien*

consiste en un échange de paroles entre les interlocuteurs présents. L'*allocution* est le discours d'un seul locuteur, généralement une personnalité. L'*audience* est une réception où l'on accepte quelqu'un pour écouter ce qu'il a à dire.
❍ Entretien (télévisé ou radiodiffusé), conversation, discussion, dialogue, entrevue, rencontre, tête-à-tête, face-à-face, audience, confidence, échange, causerie – allocution.

INTERVIEWER

QUESTIONNER *un personnage politique sur la situation économique.* INTERROGER *un expert. « L'ignorant ne sait pas même de quoi* S'ENQUÉRIR » (Jean-Jacques Rousseau).
❍ Questionner, interroger, entretenir, s'enquérir, consulter, enquêter.

INTERVIEWEUR

*L'*ANIMATEUR *d'un débat. Les* SONDEURS *et les sondés.*
❍ Présentateur, animateur, journaliste, enquêteur, questionneur, sondeur, interlocuteur, faire-valoir.

IRISH COFFEE

Un CAFÉ IRLANDAIS *à base de whisky.*
❍ Café irlandais.

IRISH STEW

Un RAGOÛT IRLANDAIS *à base de mouton.*
❍ Ragoût irlandais.

ITEM

Une commande de trois cents UNITÉS. *Les* ENTRÉES *d'un dictionnaire. – Le* POINT *principal de l'ordre du jour.*

❍ Article, unité, élément, pièce, entrée – sujet, point.

JACK

Un COMMUTATEUR *téléphonique.*

❍ Prise téléphonique, commutateur.

JACKPOT

La CAGNOTTE *de la Saint-Valentin. Gagner le* GROS LOT. *La* TIRELIRE *du prix des Landes s'élevait à cinq millions de francs. Décrocher la* TIMBALE. *Il a touché un vrai* PACTOLE.

❍ Cagnotte, gros lot, tirelire, timbale, pactole.

JACUZZI

Une salle d'eau équipée d'un BAIN À REMOUS *et d'un sauna.*

⇨ *Jacuzzi* est un nom déposé.
❍ Bain à remous, bain bouillonnant.

JAM
Zut ! Encore un BOURRAGE PAPIER.
⇨ « *Jam in paper feed* » est l'indication figurant sur les photocopieuses et sur les imprimantes pour signaler que le papier est coincé dans l'appareil.
❍ Bourrage (papier).

JAZZMAN
Un MUSICIEN DE JAZZ *très doué.*
❍ Instrumentiste, musicien ou joueur de jazz.

JEAN
⇨ Voir *blue-jean.*

JEEP
Rouler en TOUT-TERRAIN *à travers le désert.*
⇨ *Jeep* est un nom déposé.
❍ Véhicule tout-terrain, quatre-quatre.

JERRICAN
Un BIDON *d'essence. « La* NOURRICE *de cinquante litres se trouve sous la banquette arrière »* (Paul Morand).
❍ Bidon, RECOMM. OFFIC. nourrice.

JET
Il possède un AVION À RÉACTION.
❍ Avion à réaction.

JET-SKI

Il devient dangereux de se baigner tant les MOTOMARINES *se font nombreuses.*

⇨ Le terme *motomarine*, construit sur le modèle de motoneige, est déjà utilisé au Québec depuis quelques années.

❍ Motomarine.

JET-SET, JET-SOCIETY

Une station de sports d'hiver fréquentée par le GRATIN FRIVOLE.

❍ PROP. [gratin frivole], société cosmopolite, haute société internationale, dessus du panier.

JET-STREAM

Faire le tour de la Terre en ballon grâce au COURANT-JET *de la troposphère.*

❍ RECOMM. OFFIC. courant-jet.

JINGLE

Un SONAL *devenu agaçant à force de l'entendre.*

❍ RECOMM. OFFIC. sonal, indicatif musical, refrain publicitaire, ritournelle.

JOB

Un BOULOT *d'été. Il a fait du bon* TRAVAIL. – *Ce n'est pas mon* RÔLE *de vous conseiller.*

❍ Boulot, emploi, poste, fonction, travail, métier, profession, gagne-pain, activité – tâche, rôle.

JOCKEY

La casaque du CAVALIER.

⇨ HIPPISME.

○ Cavalier (de course).

JOGGER

Elle TROTTE *tous les matins pour se maintenir en forme.*

○ Trotter.

JOGGEUR

Les TROTTEURS *du dimanche matin.*

⇨ Utilisé pour désigner un cheval dressé à trotter, le terme *trotteur* correspond néanmoins parfaitement à ce qu'est un *joggeur*.

○ Trotteur.

JOGGING

1 – *Faire sa* TROTTINE *matinale à la belle saison.*

⇨ *Trottine* nous vient du Québec.

○ Trottine.

2 – *Passer un* SURVÊTEMENT.

○ Survêtement.

JOINT-VENTURE

Former une COENTREPRISE *pour conquérir un nouveau marché. La* SYNERGIE *de l'association.*

⇨ FINANCE.

○ RECOMM. OFFIC. coentreprise, projet commun, synergie.

JOKER

Sortir une CARTE SURPRISE *à la dernière extrémité. Sa beauté était son meilleur* ATOUT.

O Carte surprise, atout, carte de chance.

JOYSTICK

Les MANETTES DE JEU *amplifient les sensations procurées par les jeux informatiques.*

⇨ INFORMATIQUE.

O Manette de jeu, poignée de jeu.

JUKE-BOX

Mettre une pièce dans une MACHINE À DISQUES AUTOMATIQUE.

O Machine à disques automatique, boîte à musique.

JUMBO-JET

Un AVION GROS-PORTEUR *aux couleurs d'Air France.*

O RECOMM. OFFIC. gros-porteur.

JUMPING

Participer à une ÉPREUVE DE SAUT D'OBSTACLES.

⇨ HIPPISME.

O Épreuve de saut d'obstacles.

JUST

C'est un peu JUSTE, *c'est un peu* COURT. *Pantalon trop* JUSTE. *C'est un peu* LÉGER.

❍ Court, juste, limite, insuffisant, sommaire, succinct, léger.

JUST IN TIME

Le FLUX TENDU *permet de réaliser des économies au prix d'un assujettissement aux transports.* JUSTE-À-TEMPS *appartient au jargon des entreprises.*

❍ Flux tendu, juste-à-temps.

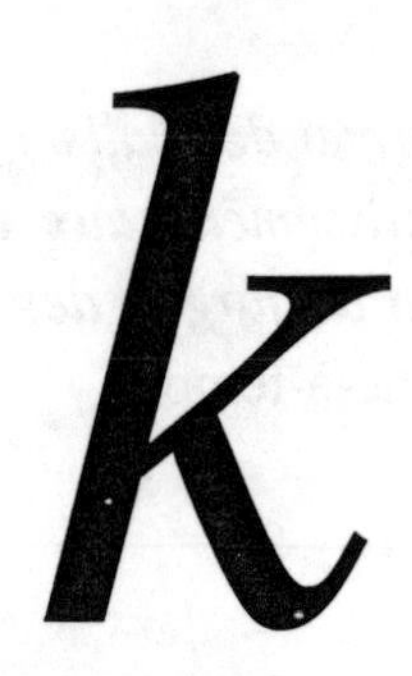

KETCHUP

Des hachés recouverts de SAUCE TOMATE À L'AMÉRICAINE.

❍ Sauce tomate à l'américaine.

KEYPAD

Entrer des données comptables sur le PAVÉ NUMÉRIQUE *d'un ordinateur.*

⇨ INFORMATIQUE.

❍ Pavé numérique.

KICK

Le DÉMARREUR À PIED *était bloqué.*

❍ Démarreur à pied.

KIDNAPPER

Une enfant ENLEVÉE *aux abords de son école.*

O Enlever, séquestrer.

KIDNAPPEUR

Un RAVISSEUR *d'enfants.*

O Ravisseur.

KIDNAPPING

L'opinion publique belge est secouée par ces RAPTS *d'enfants.*

O Enlèvement, rapt, séquestration.

KILLER INSTINCT

Quelle RAGE DE VAINCRE *! La* COMBATIVITÉ *de cette équipe sportive explique en partie ses victoires.*

O Rage de vaincre, combativité, agressivité, pugnacité, ardeur belliqueuse.

KING SIZE

Le lit GRAND MODÈLE. *Des cigarettes* EXTRA-LONGUES. *Un paquet* GÉANT *de frites.*

O Grand modèle, grande taille, extra-long, géant.

KIT

Acheter une table en PRÊT-À-MONTER. – *Un* NÉCESSAIRE *à ongles. Une* TENUE *de protection. – L'*INSTALLATION *mains libres pour téléphoner depuis son véhicule est encore onéreuse.*

O RECOMM. OFFIC. prêt-à-monter – RECOMM. OFFIC.

lot, ensemble, assortiment, trousse à outils (ou de secours), nécessaire, tenue – système, installation.

KITCHENETTE

Un studio avec CUISINETTE.

❍ RECOMM. OFFIC. cuisinette, coin cuisine.

KLAXON

*Donner un coup d'*AVERTISSEUR.

⇨ Dans la même logique, *klaxonner* se remplace par *avertir* (RECOMM. OFFIC.). Il est également possible d'utiliser le verbe *corner*. *Klaxon* est un nom déposé.

❍ RECOMM. OFFIC. avertisseur.

KLEENEX

Un paquet de MOUCHOIRS EN PAPIER *parfumés au menthol.*

⇨ *Kleenex* est une marque déposée.

❍ Mouchoir jetable, mouchoir en papier.

KNICKERBOCKERS, KNICKERS

Un guide de haute montagne portant une superbe CULOTTE D'ALPINISTE.

⇨ Pour les Anglais, les *knickers* sont des petites culottes.

❍ Culotte d'alpiniste.

KNITWEAR

Porter un LAINAGE *fait main.*

❍ Lainage, tricot, chandail.

KNOCK-DOWN

Un boxeur MIS À TERRE.

⇨ Un boxeur *mis à terre* n'est pas encore hors de combat.

❍ Mis à terre.

KNOCK-OUT

⇨ Voir K.-O.

KNOW-HOW

Valoriser un SAVOIR-FAIRE. *Ce train à grande vitesse rassemblait en lui une somme de* CONNAISSANCES TECHNIQUES *impressionnante. Avoir du* MÉTIER.

❍ Savoir-faire, compétence, connaissance technique, avance technologique, ingéniosité, maîtrise, métier, talent, expérience, virtuosité.

K.-O.

Battu par ÉVANOUISSEMENT. – *Cette grippe l'avait* EXTÉNUÉ.

❍ Évanouissement, perte de connaissance, assommé, hors de combat, inconscient – éreinté, fourbu, exténué, harassé, accablé de fatigue.

LABEL

Une MARQUE *de fabrique. Un* CRITÈRE *de qualité. Vendre un produit sous sa* GRIFFE. *L'*ESTAMPILLE *d'un produit industriel. Se présenter aux élections sous l'*ÉTIQUETTE *socialiste. Imprimer une page d'*ÉTIQUETTES.

❍ Marque, critère, griffe, signature, estampille, symbole, logo, étiquette.

LAD

Un GARÇON D'ÉCURIE *s'occupait des chevaux. Une* PALEFRENIÈRE *toujours souriante.*

❍ Garçon d'écurie, palefrenier.

LADY

Une ARISTOCRATE *anglaise. Elle avait tout de la* FEMME DU MONDE. *Inviter* DAME *Elisabeth à participer à un bal. Une vraie* DAME.

⇨ Lorsqu'il s'agit du titre anglais, *Dame* s'écrit avec une majuscule.

❍ Aristocrate, femme du monde, Dame, dame.

LAMBSWOOL

Un chandail en LAINE D'AGNEAU.

❍ Laine d'agneau.

LAPTOP

Un ORDINATEUR PORTATIF *posé sur la tablette d'un siège d'avion.*

⇨ INFORMATIQUE.

❍ Ordinateur portatif.

LAST BUT NOT LEAST

ENFIN ET SURTOUT, *je remercie la commission pour sa diligence jamais mise en défaut.*

❍ Enfin et surtout, enfin et non des moindres.

LEADER

Les CHEFS *politiques.* CHEF *d'escadrille. Un* MENEUR *d'hommes. Le* DIRIGEANT *palestinien. La* TÊTE *du classement, du peloton. Le cheval de* TÊTE. EN TÊTE *sur le secteur de l'habillement. Napoléon était un grand* STRATÈGE. *Un* GUIDE *spirituel. Le* PREMIER *violon. Le* PREMIER *de cordée. Le* CHEF DE FILE *de l'oppo-*

sition. Cette entreprise est NUMÉRO UN *dans son secteur d'activité.*
○ Chef, meneur, dirigeant, porte-parole, décideur, directeur, responsable, stratège, tête (en tête, de tête), guide, premier, chef de file, numéro un, fer de lance, figure de proue, position de tête.

LEADERSHIP
Prendre la DIRECTION *d'une entreprise. Imposer son* AUTORITÉ. *L'Angleterre avait conservé la* MAÎTRISE *des mers. Perdre son* HÉGÉMONIE. – *Son* CHARISME *est à l'origine de son succès.*
○ Direction, autorité, maîtrise, hégémonie, suprématie, position dominante – charisme.

LEASE BACK
Contracter une CESSION-BAIL.
⇨ FINANCE.
○ Cession-bail.

LEASING
Acheter une voiture en CRÉDIT-BAIL.
⇨ FINANCE.
○ RECOMM. OFFIC. crédit-bail, location avec option d'achat ou L.O.A.

LEGGINS
JAMBIÈRES *renforcées des joueurs de hockey.*
○ Jambières, cuissardes.

LET

⇨ TENNIS. Voir *net*.

LIFE VEST

L'hôtesse expliquait comment revêtir les GILETS DE SAUVETAGE.

○ Gilet de sauvetage.

LIFT

1 – *L'*ASCENSEUR *est en panne.*

○ Ascenseur, monte-charge.

2 – *Sa balle a beaucoup d'*EFFET ASCENDANT.

⇨ TENNIS.

○ Effet ascendant.

LIFTER

1 – *Borg* BROSSAIT *tous ses coups, en coup droit comme en revers, pour* DONNER UN EFFET *ascendant à la balle.*

⇨ TENNIS. *Brosser* une balle donne plus d'effet ascendant à celle-ci lors du rebond.

○ Brosser, recouvrir, donner de l'effet.

2 – *Son chirurgien lui a admirablement* REMODELÉ *les traits du visage.* – RÉNOVER *les méthodes pédagogiques.*

○ Remodeler, lisser, dérider – rénover, rajeunir.

LIFTIER

Ce palace employait encore des GARÇONS D'ASCENSEUR.

○ Garçon d'ascenseur, préposé à l'ascenseur.

LIFTING

Les femmes ont recours à la technique du LISSAGE *pour rajeunir les traits de leur visage. – La* RÉNOVATION *de l'église Sainte-Geneviève.*

⇨ En anglais, *lifting* se dit *face-lift*.

❍ RECOMM. OFFIC. lissage, RECOMM. OFFIC. remodelage, déridage, rajeunissement – rénovation, embellissement, toilettage.

LIGHT

Les produits ALLÉGÉS *sont en pleine expansion. Cigarettes dites* LÉGÈRES *mais toujours nocives.*

❍ Allégé, léger.

LIGHT PEN

Le CRAYON OPTIQUE *remplace la souris pour des travaux demandant une grande précision.*

⇨ INFORMATIQUE.

❍ Crayon optique.

LINER

1 – *Avion de* LIGNE. LIGNE *commerciale, régulière. Paquebot de grande* LIGNE.

❍ Ligne, gros-porteur.

2 – *Le* REVÊTEMENT *du fond de la piscine.*

❍ Revêtement, isolant.

LINKS

L'Écosse est connue pour ses GOLFS EN BORD DE MER.

⇨ GOLF.

O Golf en bord de mer.

LIPSTICK

*L'*ÉCRAN LABIAL *est préconisé en haute montagne. Un* BAUME LABIAL *hydratant.*

O Écran labial, baume ou protecteur labial, bâton à lèvres.

LISTING

Le LISTAGE *d'un programme permet une visualisation plus rapide.*

⇨ INFORMATIQUE. Le listage est l'opération consistant à dresser une liste respectant certains critères.

O RECOMM. OFFIC. listage, liste, état, relevé, tableau.

LIVE

Une rencontre diffusée EN DIRECT *à la télévision. Un enregistrement* PUBLIC. *L'album d'un concert enregistré* SUR SCÈNE.

O En direct, (en) public, sur scène.

LIVING, LIVING-ROOM

Un SALON *aimablement décoré.*

O Salon, pièce de séjour, salle de séjour, séjour, salle commune.

LOADER

CHARGER *un programme en mémoire.*

⇨ INFORMATIQUE.

○ Charger.

LOB

Les TIRS BOMBÉS *brossés de Mats Wilander étaient redoutés par tous ses adversaires. Il lui a fait une* CHANDELLE *imparable.*

⇨ TENNIS. *Tir bombé* se construit sur le même modèle que tir passant. Selon la trajectoire plus ou moins courbe de la balle, il est possible de parler de *chandelle* ou de *louche*.

○ Tir bombé, chandelle, louche.

LOBBY

Les GROUPES DE PRESSION *prolifèrent à Bruxelles.*

○ Groupe de pression, groupe d'influence, groupement d'intérêt, coterie, mouvance.

LOBBYING

Un vrai travail de PROPAGANDE. *La* CAMPAGNE DE DÉSINFORMATION *avait porté ses fruits.*

○ Propagande, campagne d'incitation (de désinformation), moyen de pression.

LOBBYISME

Le TRAFIC D'INFLUENCE *est répréhensible.* MANIPULATIONS *électorales.*

❍ Trafic d'influence, manipulation, manœuvre, machination, intrigue, agissements.

LOBBYISTE

De zélés PROPAGANDISTES.

❍ Propagandiste, agent d'influence, intrigant.

LOCK-OUT

Le patronat riposta par un VERROUILLAGE *immédiat des usines métallurgiques. On assiste à une* GRÈVE PATRONALE.

❍ Verrouillage, grève patronale.

LOCK-OUTER

VERROUILLER *les ateliers de l'usine. Ces ouvriers ont été* INTERDITS DE TRAVAIL *par un directeur colérique.*

❍ Verrouiller, interdire de travail.

LOGFILE

Il faut consulter le FICHIER DE PANNE *pour savoir à quel niveau se situe le problème.*

⇨ INFORMATIQUE.

❍ Fichier de panne, journal de bord, fichier de trace, fichier compte-rendu.

LOGIN, LOGOUT

La procédure de CONNEXION (*ou de* DÉCONNEXION) *était anormalement longue.*

⇨ INFORMATIQUE.

❍ Connexion, début de session, identificateur d'utilisateur ou ID – déconnexion, fin de cession.

LOOK

Il a toujours pris grand soin de son IMAGE. *Modifier son* APPARENCE. *Une* TENUE *étudiée. Soigner sa* MISE. *Un* ACCOUTREMENT *extravagant. – Cette voiture a de belles* LIGNES. *Le* STYLE *des années quatre-vingt-dix. Je n'aime pas l'*ASPECT *de ce téléphone.*

❍ Image, apparence, présentation, allure, manière, prestance, expression, mine, air, genre, tenue, composition vestimentaire, mise, accoutrement – ligne, figure, dessin, style, modelé, plastique, tracé, silhouette, profil, galbe, aspect, physionomie.

LOOP

Le programme est perdu dans une BOUCLE *infinie.*

⇨ INFORMATIQUE.

❍ Boucle (de programme).

LOOPING

Un avion effectuant des BOUCLES ACROBATIQUES *dans le ciel.*

❍ Boucle acrobatique, acrobatie aérienne, voltige.

LOOSER, LOSER

C'est un PERDANT, *il échoue souvent.*

❍ Perdant, raté, malchanceux.

LOW-COST

Des vols À BAS PRIX. *Faire la chasse aux* PREMIERS PRIX. *Les compagnies aériennes à* PRIX CASSÉS *attirent une clientèle toujours plus nombreuse.*

❍ Bas prix, premier prix, prix cassé, prix réduit, économique.

LUCKY LOSER

Les REPÊCHÉS *des qualifications.*

⇨ SPORT.

❍ Repêché.

LUNCH

Être invité à un BUFFET *froid.*

❍ Buffet, collation de midi, repas léger, déjeuner.

LYNCHAGE

Soumis à une ATTAQUE EN RÈGLE *de la part des médias.*

❍ Exécution sommaire – attaque en règle, campagne d'accusation (de diffamation), mise au pilori.

LYNCHER

Il s'est fait MOLESTER *par la foule.*

❍ Exécuter sommairement, tuer – rouer de coups, molester, écharper, prendre à parti, brutaliser, malmener, houspiller, rudoyer, insulter.

m

MACADAM

*Rouler sur l'*ASPHALTE. *« Sur le* BITUME *des trottoirs, des peintres exposent en plein air »* (Georges Duhamel). *« Telle était la chaleur que se liquéfiait le* GOUDRON *des routes »* (François Mauriac).

❍ Asphalte, bitume, goudron.

MACKINTOSH

Un CIRÉ *de marin. Mettre sa* GABARDINE.

❍ Imperméable, ciré, gabardine.

MADE IN

Produit FABRIQUÉ EN *France.* DE FABRICATION *française. Des fraises* D'ORIGINE *française.*

❍ Fabriqué en, de fabrication, d'origine.

MAGNAT

Un ROI *du pétrole. Un* GRAND *de la finance. Les* BARONS *d'industrie, de la finance.*

⇨ *Capitaine d'industrie* a souvent une connotation péjorative.

○ Roi, grand, baron, brasseur d'affaires, puissant homme d'affaires, grand capitaliste, capitaine d'industrie.

MAIL

⇨ Voir *e-mail.*

MAILING

Faire connaître ses produits par un PUBLIPOSTAGE.

⇨ Une *mailing list* n'est rien d'autre qu'un *fichier d'adresses* ou une *liste de diffusion.* Le *multipostage* regroupe des offres de plusieurs entreprises dans un même courrier.

○ RECOMM. OFFIC. publipostage, envoi en nombre, démarchage postal, multipostage.

MAJOR

⇨ GLISSEMENT DE SENS. Lorsque *major* désigne une entreprise de première importance, il est inutile de s'entêter à lui donner une prononciation anglaise alors que le mot a une racine bien française.

Les MAJORS *européennes de l'aéronautique.*

MAKE UP

Un produit de MAQUILLAGE.

❍ Maquillage.

MANAGEMENT

1 – *Un cours de* GESTION D'ENTREPRISE. *Un doctorat en* MAÎTRISE DES AFFAIRES.

⇨ Pris dans le sens de « connaissance, savoir, étude ».

❍ Gestion ou organisation d'entreprise, maîtrise des affaires.

2 – *Être chargé de la* DIRECTION *d'un groupe. La* CONDUITE DES OPÉRATIONS *est entre les mains d'un nouveau directeur. Une* GESTION *autoritaire du personnel. Une société gérée au plus près par un* CONSEIL D'ADMINISTRATION. *Assumer la* GÉRANCE *d'une société.*

❍ Conduite ou direction d'une affaire (ou des opérations), gestion, conseil d'administration, gérance.

3 – *L'*ÉQUIPE DIRIGEANTE. *L'*ENCADREMENT *de cette entreprise de restauration est de nationalité française. Il fait partie des* CADRES DIRIGEANTS. *Le porte-parole de la* DIRECTION.

❍ Équipe dirigeante, direction, cadre dirigeant, encadrement, administration.

MANAGER

DIRIGER *une petite entreprise. Entreprise* ADMINISTRÉE *par un conseil d'administration franco-*

allemand. CONDUIRE *une affaire.* ENCADRER *plusieurs employés.*
❍ Diriger, gérer, administrer, conduire, encadrer, régir.

MANAGEUR
1 – *Voyez cela avec mon* AGENT. – *L'*ENTRAÎNEUR *suivait attentivement la prestation de son poulain.*
❍ Agent (artistique ou littéraire), imprésario, directeur artistique – entraîneur, instructeur.
2 – *Je désire voir le* DIRECTEUR *de l'hôtel. Un* DIRIGEANT *d'entreprise. La* GÉRANTE *de la boutique. C'est un* BRASSEUR D'AFFAIRES *des plus efficaces. Le* RÉGISSEUR *du domaine.*
❍ Directeur, dirigeant, administrateur, cadre, décideur, décisionnaire, gérant, gestionnaire, responsable, organisateur, chef de projet (ou d'entreprise), brasseur d'affaires, intendant, régisseur.

MARKETING
Techniques de COMMERCIALISATION. *Une analyse* MERCATIQUE. *Il est responsable du service* COMMERCIALISATION. *Une* STRATÉGIE COMMERCIALE *agressive. Une* ÉTUDE DE MARCHÉ *a été effectuée avant le lancement du produit. Un créneau* COMMERCIAL.
⇨ Le *marketing* est l'analyse du marché en vue d'adapter à la fois la production, la distribution et la commercialisation. Dans son acception globale, la

commercialisation inclut l'ensemble de ce processus. La *mercatique* est l'équivalent officiel à *marketing*. Le *marketing direct* n'est autre que le démarchage direct.

❍ Commercialisation, mercatique, stratégie commerciale, étude de marché, commercial.

MASS MEDIA

Événement largement couvert par les MÉDIAS.

❍ Média, communication de masse, moyen audiovisuel.

MASTER

1 – *Être qualifié pour le* TOURNOI DES MAÎTRES.

⇨ SPORT.

❍ Tournoi des maîtres.

2 – *La* VERSION MÈRE *de ce logiciel doit être conservée en lieu sûr. – Dès réception du* PROGRAMME DÉFINITIF, *nous lancerons la fabrication des copies.*

⇨ INFORMATIQUE.

❍ Version ou épreuve mère, programme souche, disque d'exploitation, bande mère – original, programme dans sa version définitive.

3 – *Obtenir un* MASTÈRE *en économie.*

⇨ Diplôme de troisième cycle.

❍ Mastère.

MATCH

Une RENCONTRE *de tennis.* ÉPREUVE *contre la montre. Une* PARTIE *serrée. Une belle* JOUTE. *Un* FACE-À-FACE *prometteur. Il a sur son service deux balles de* VICTOIRE. *Une* COMPÉTITION *sportive. Un* COMBAT *de boxe. Un* ASSAUT *d'escrime.*

❍ Rencontre, épreuve, partie, joute, face-à-face, victoire (balle de), compétition, tournoi, combat, assaut, confrontation.

MECCANO

Éveiller la créativité de l'enfant grâce à un JEU DE CONSTRUCTION *métallique.*

⇨ *Meccano* est une marque déposée anglo-saxonne.

❍ Jeu de construction.

MÉDIAPLANNING

Nous avons établi un PLAN DE CAMPAGNE *qui devrait porter ses fruits. Une* CAMPAGNE DE PRESSE *bien orchestrée.*

❍ Plan de campagne, plan d'action médiatique (plan médias), campagne publicitaire, campagne de presse, campagne commerciale.

MEDICINE-BALL

Exercices de musculation à l'aide de BALLONS LESTÉS.

❍ PROP. [ballon lesté].

MEETING

Une RENCONTRE *d'athlétisme. Une* MANIFESTATION *sportive. Un* RASSEMBLEMENT *politique. Une* RÉUNION *syndicale ou politique. Une* SÉANCE *de travail.*

○ Rencontre, manifestation, rassemblement, réunion, session, table ronde, séance, congrès, colloque, forum.

MÉGAPHONE

Crier dans un PORTE-VOIX. *Mettre ses mains en* PORTE-VOIX.

○ Porte-voix, amplificateur de voix.

MÉGASTORE

Les GRANDS MAGASINS *du boulevard Haussmann.*

○ Grand magasin, grande galerie.

MEILLEUR

⇨ GLISSEMENT DE SENS. On *prend le dessus sur* un adversaire, mais on ne *prend* pas *le meilleur*. À la rigueur, on peut prendre le meilleur sur un morceau de viande, mais pas sur une personne.

~~PRENDRE LE MEILLEUR SUR~~ : PRENDRE LE DESSUS *ou* L'EMPORTER SUR.

⇨ Il est également faux de parler de *troisième meilleur temps*, car ce qui est meilleur est supérieur à tous les autres.

MELTING-POT

Le CREUSET *culturel. Un* BRASSAGE *culturel.*

○ Creuset, brassage.

MÉMOIRE CACHE, CACHE MEMORY

La MÉMOIRE D'ACCÈS RAPIDE *de mon ordinateur a une capacité de 128 Ko.*

⇨ INFORMATIQUE. Mémoire très rapide destinée à accélérer l'accès aux données les plus fréquemment utilisées.

○ RECOMM. OFFIC. mémoire d'accès rapide, antémémoire.

MÉMORIAL

⇨ GLISSEMENT DE SENS. En français, un *mémorial* est un écrit où sont consignés des préceptes ou des souvenirs que l'on veut conserver. L'ouvrage d'architecture élevé à la mémoire d'un personnage ou d'un événement est un monument commémoratif.

~~MÉMORIAL~~ *en grès :* MONUMENT COMMÉMORATIF *en grès.*

MERCHANDISING

Un MARCHANDISAGE *bien pensé. Un* CONDITIONNEMENT *adapté à la clientèle haut de gamme.*

⇨ Le *marchandisage* regroupe les techniques d'agencement, de conditionnement, de présentation d'un produit en vue d'améliorer sa vente.

○ Marchandisage, conditionnement, présentation.

MERGE

Une FUSION *de sociétés. Le* RAPPROCHEMENT *de ces deux constructeurs a échoué. Une vague de* RACHAT *dans le secteur informatique.* CONCENTRATION *dans le secteur de la chimie.*

⇨ FINANCE.

❍ Fusion, rapprochement, alliance, rachat, absorption, concentration.

MIDSHIP

⇨ *Aspirant* dans la marine anglaise, mais *enseigne de vaisseau de deuxième classe* dans la marine française.

MILE, MILLE

À deux ENCABLURES *du rivage.*

⇨ *Mile*, francisé en *mille*, est une mesure de longueur utilisée dans les pays anglo-saxons (Grande-Bretagne, États-Unis, Canada) qui vaut 5 280 pieds, soit 1 609 mètres. Le *mille* marin ou nautique se calcule, quant à lui, comme la 60e partie d'un degré de latitude, soit 1 852 mètres. Dans la marine, on parle également d'*encablure*, qui correspond au dixième d'un *mille* nautique.

❍ Encablure.

MILK-BAR

Je ne connais aucun BAR À LAIT *en France.*

❍ Bar à lait.

MILK-SHAKE

Un LAIT FRAPPÉ *à la fraise. Un* LAIT *banane, s'il vous plaît. Pour moi, ce sera un* FRAPPÉ *grenadine.*

❍ Lait frappé, lait (...), frappé (...).

MINIBREAK

Faire la MINIBRÈCHE *dans le jeu décisif.*

⇨ TENNIS.

❍ Minibrèche.

MISS

1 – MADEMOISELLE *Amanda Wilson.*

❍ Mademoiselle.

2 – *J'ai l'honneur d'accueillir aujourd'hui* MADEMOISELLE FRANCE *accompagnée de la* PREMIÈRE DEMOISELLE DE BRETAGNE. *Élue* BELLE DE FRANCE *1998. Elle se prend pour une* REINE DE BEAUTÉ.

⇨ Le concours de beauté masculine a élu Rodolphe Parmentier Monsieur France 1999. Personne n'a eu l'idée de l'appeler « Mister France 1999 ». Pourquoi alors continuer à utiliser *Miss*, alors que *Mademoiselle* possède une consonance agréable et bien française ?

❍ PROP. [Mademoiselle France, Belle de France], première demoiselle de..., reine de beauté.

MIXAGE

Le MÉLANGE *des différents ingrédients.*

❍ RECOMM. OFFIC. mélange.

MIXER

MÉLANGER *les œufs et le sucre* AU BATTEUR *avant d'ajouter les amandes moulues.* INCORPORER *des raisins dans la pâte.* AMALGAMER *du beurre et de la farine.* – RÉDUIRE *des légumes* EN PURÉE, *puis des framboises* EN COULIS. BATTRE *des œufs en omelette.* HACHER *une viande.*

❍ Mélanger au batteur, incorporer, amalgamer – réduire en purée (en coulis), battre, hacher, broyer, malaxer, fouetter, mouliner, délayer.

MIXEUR

Monter des œufs en neige avec un BATTEUR. *Un* FOUET ÉLECTRIQUE *d'appoint.*

❍ Batteur, fouet, moulin à légumes, moulinette, appareil culinaire, robot de cuisine.

MOBILE HOME

Vivre dans une MAISON TRACTABLE.

⇨ *Auto-caravane* (RECOMM. OFFIC.) ne rend pas le véritable sens de ce mot qui désigne une caravane tractable conçue pour y loger de façon durable et pouvant se raccorder à l'eau et à l'électricité. Ce terme anglo-saxon fait figure de xénisme. *Auto-caravane* semble mieux convenir pour *camping-car*. Voir aussi *motor-home*.

❍ PROP. [maison tractable].

MONITEUR

ÉCRAN *de contrôle.*

❍ Écran.

MONITORING

SURVEILLANCE *sur écran.*

❍ Surveillance, RECOMM. OFFIC. monitorage.

MOOD

*Je n'ai pas l'*HUMEUR *à ça. Il est dans de bonnes* DISPOSITIONS. *Il règne une bonne* AMBIANCE.

❍ Humeur, disposition, ambiance, état d'esprit.

MORPHING

Les programmes de FONDU ENCHAÎNÉ *sont au goût du jour.*

⇨ INFORMATIQUE.

❍ Fondu enchaîné.

MOTEL

Ils avaient choisi de coucher dans un HÔTEL D'ÉTAPE.

❍ Hôtel d'étape, hôtellerie d'étape, relais routier.

MOTOR-HOME

Parcourir le Canada en AUTO-CARAVANE.

❍ RECOMM. OFFIC. auto-caravane.

MOUNTAIN BIKE

Offrir un VÉLO TOUT-TERRAIN *à son fils.*

⇨ *Mountain bike* a presque complètement disparu derrière *vélo tout-terrain.*

❍ Vélo tout-terrain ou VTT.

MR.

M. *Grevisse.* MM. *Dubois et Laborde.*

⇨ *Mr.* est l'abréviation de *mister* et non de *monsieur.* Au pluriel, on écrit en français *MM.*

❍ M., MM.

MUSIC-HALL

Aller au CAFÉ-SPECTACLE. *Chanteuse de* VARIÉTÉS. *Spectacle de* VARIÉTÉS. *Passer la soirée dans un* CABARET.

❍ Café-spectacle, café-concert, théâtre de variétés, cabaret, variété, revue à grand spectacle, soirée musicale.

MUST

Le saumon est devenu un INCONTOURNABLE *des fêtes de fin d'année. Les* INDISPENSABLES *de Cartier. Les* IMMANQUABLES *de Renault. « Un appartement qui avait dû jadis sembler le* NEC PLUS ULTRA *du luxe »* (Théophile Gautier).

❍ Indispensable, incontournable, immanquable, nec plus ultra, le fin du fin, la crème de la crème.

n

NET

1 – *Être abonné à l'*INTERNET. *Naviguer sur la* TOILE MONDIALE.

⇨ INFORMATIQUE. *Net* est l'abréviation de *Network* dont est issu *Internet*. Le *web* (« toile ») est un sous-ensemble de l'*Internet*.

❍ Internet, réseau, toile (mondiale).

2 – FILET *! Rejouez votre service.*

⇨ TENNIS. On dit aussi parfois *let*, qui nous vient de l'anglais par l'expression « *let serve again* ».

❍ Filet.

NET SURFER

Les INTERNAUTES *se comptent par dizaines de milliers en France.*

⇨ INFORMATIQUE.

❍ Internaute.

NEW-LOOK

Un Chirac MÉTAMORPHOSÉ *nous est apparu cette année-là. La* NOUVELLE PRÉSENTATION *du logiciel. Un dentifrice* NOUVELLE FORMULE. *Un gouvernement complètement* REMANIÉ.

❍ Métamorphose, nouvelle présentation (ou aspect, ou image), nouvelle formule, remaniement.

NEWSGROUP

Il existe des GROUPES DE DISCUSSION *sur à peu près tous les sujets.*

⇨ INFORMATIQUE.

❍ Groupe de discussion, forum.

NEWSLETTER

Un BULLETIN D'INFORMATION *trimestriel.*

❍ Bulletin d'information, circulaire, lettre d'information, infobulletin.

NEWSMAGAZINE

Je l'ai lu dans une REVUE D'INFORMATION *publiée par le ministère de la Culture.*

○ Magazine ou revue d'information, chronique financière, périodique, hebdomadaire, mensuel.

NIGHT-CLUB

Aller en BOÎTE DE NUIT. *Danser dans une* DISCOTHÈQUE. *« Les* CABARETS *de nuit s'éveillent tard »* (Georges Duhamel).

○ Boîte de nuit, discothèque, cabaret, cercle privé.

NO FUTURE

SANS ESPOIR NI AVENIR.

○ Sans espoir ni avenir.

NO MAN'S LAND

Vous entrez dans la ZONE INTERDITE. *Les deux Allemagnes étaient séparées par une* ZONE FRONTIÈRE *hérissée de miradors et d'un mur. L'île de Chypre est séparée par une* ZONE TAMPON. – *La science génétique est entrée dans une* ZONE D'INCERTITUDE. – *Le* DÉSERT *du centre de l'Australie. Il n'y a* PAS ÂME QUI VIVE *dans cet endroit.*

○ Zone interdite, zone frontière, zone tampon, glacis – zone d'incertitude – désert, pas âme qui vive, contrée sauvage, espace ou territoire vierge.

NOMINER

Six films SÉLECTIONNÉS *pour la remise des César. Sont* APPELÉES *pour le prix d'interprétation fémi-*

nine : Victoria Abril, Isabelle Adjani et Fanny Ardant.

⇨ L'actrice autrichienne Romy Schneider est, malgré elle, à l'origine de cette erreur. Peinant à trouver le mot français désignant les sélectionnés lors d'une cérémonie d'attribution des César, elle inventa *nominé* en le calquant sur l'équivalent anglais *nominee*.

❍ RECOMM. OFFIC. sélectionner, présélectionner, désigner, appeler.

NON-STOP

Ouverture jeudi SANS INTERRUPTION. *Samedi,* JOURNÉE CONTINUE *jusqu'à dix-sept heures. Vol* SANS ESCALE *en Concorde jusqu'à Rio. Il pleut* SANS DISCONTINUER *depuis trois jours. Travailler huit heures* D'AFFILÉE.

❍ Sans interruption, journée continue, à toute heure, sans escale, d'une seule traite, sans arrêt, sans discontinuer, d'affilée, ininterrompu.

NORD-AMÉRICAIN

Quelques AMÉRICAINS DU NORD *et deux ou trois* EX-ALLEMANDS DE L'EST.

⇨ La langue française ne connaît pas ce type d'inversion qui est fréquente en anglais.

❍ Américain du Nord.

NOTEBOOK

Il est difficile de s'y retrouver parmi les ORDINATEURS BLOCS-NOTES, *les ordinateurs portatifs, les ardoises électroniques et les ordinateurs de bureau.*

⇨ INFORMATIQUE.

❍ Ordinateur bloc-notes.

NOTEPAD

Noter ses rendez-vous sur une ARDOISE ÉLECTRONIQUE.

⇨ INFORMATIQUE. Ce type d'ordinateur ne possède pas de clavier. Les données sont entrées par saisie directe sur l'écran.

❍ Ardoise électronique.

NOVÉLISATION

La TRANSPOSITION ROMANESQUE *d'une série culte.* – PORTER À L'ÉCRAN *un récit.*

⇨ Le contraire de la *transposition romanesque* d'un scénario de film est l'adaptation à l'écran.

❍ Transposition romanesque, réécriture romanesque – porter à l'écran.

NUGGET

BEIGNETS *de poulet.*

⇨ La traduction littérale de *nugget* est « pépite », mais l'usage de cet emprunt est généralement compris comme *beignet.*

❍ Beignet.

NURSE

NOURRICE *qui donne le sein à un enfant. Les* PUÉRICULTRICES *de la maternité. – Une* FILLE AU PAIR *autrichienne.*

○ Nourrice, puéricultrice, bonne d'enfants – fille au pair, gouvernante, préceptrice.

NURSERY

La POUPONNIÈRE *d'un hôpital. – « Des femmes qui viennent déposer leurs enfants à la* CRÈCHE » (Roger Martin du Gard).

⇨ La *pouponnière* est un lieu où les enfants en bas âge sont gardés jour et nuit, tandis que la *crèche*, la *garderie* et le *jardin d'enfants* sont des établissements qui ne les reçoivent qu'en journée.

○ Pouponnière – crèche, garderie, jardin d'enfants.

OFF

Une voix HORS CHAMP *commente la scène. – Une représentation* EN MARGE DU PROGRAMME OFFICIEL.

❍ Hors champ, hors caméra – hors programme, en marge du programme officiel, hors concours.

OFFSHORE

1 – *Une installation pétrolière* EN MER. *Forage* AU LARGE. *Plate-forme* MARINE.

❍ RECOMM. OFFIC. en mer, au large, marin.

2 – *Société* EXTRATERRITORIALE. *Investissement* HORS LIEU.

⇨ FINANCE.

❍ Extraterritorial, hors lieu.

3 – *Une course bruyante de* CIGARES DES MERS *au large de Monaco. Course* AU LARGE.
⇨ SPORT.
❍ Cigare des mers, au large.

O.K., OKAY
D'ACCORD. *C'est* ENTENDU, *demain dix heures.* BIEN *!* TRÈS BIEN *! Tout* VA BIEN *pour toi ? Oui, ça* VA. *C'est* BON *! Cela me* CONVIENT *! J'y* SOUSCRIS.
⇨ En informatique, les boutons de commande marqués de l'abréviation *O.K.* peuvent aisément se remplacer par *Voilà* ou *Valider*.
❍ Entendu, d'accord, parfait, bien (ou très bien), bon, aller (bien), convenir, souscrire, adhérer – voilà.

ONE MAN SHOW
SPECTACLE SOLO *enregistré en studio.*
❍ Solo, RECOMM. OFFIC. spectacle solo.

ON LINE, OFF LINE
Support EN LIGNE. – *Ce logiciel permet la navigation* HORS CONNEXION.
⇨ INFORMATIQUE.
❍ En ligne – hors connexion.

OPEN
1 – *Son billet* OUVERT *lui permettait de décider au dernier moment de la date de son voyage.*
❍ Ouvert, à validité prolongée.

2 – TOURNOI OUVERT *de Bercy.* – *Les* INTERNATIONAUX *des États-Unis.*

⇨ SPORT.

○ RECOMM. OFFIC. tournoi ouvert, compétition ouverte – Internationaux.

OPEN-SPACE

Travailler dans un BUREAU PAYSAGÉ. *Les Américains raffolent des espaces de travail aménagé en* BUREAUX ALVÉOLÉS.

⇨ Lorsque l'espace est compartimenté par un système de cloisons amovibles, il n'y a plus lieu de parler de *bureau paysagé*, mais plutôt de *bureau alvéolé* où chacun est confiné dans sa petite cellule tels des moines.

○ Bureau paysagé, espace ouvert, PROP. [bureau alvéolé].

ORGANIZER

Je l'ai noté sur mon AGENDA ÉLECTRONIQUE.

⇨ INFORMATIQUE. *Agenda électronique* est proposé par la Commission générale de terminologie et de néologie.

○ Agenda électronique, bloc-notes, calepin, mémento, répertoire.

OUT

1 – *Il est* HORS DU COUP, *complètement* PASSÉ DE MODE.

○ Passé de mode, ne plus être dans le vent ou dans la course, hors du coup, hors course.

2 – *La balle est* FAUTE.
⇨ TENNIS.
❍ Faute, dehors, couloir.

OUTDOOR

Jouer EN EXTÉRIEUR. *Tournoi* DE PLEIN AIR.
⇨ SPORT.
❍ En extérieur, de plein air.

OUTLAW

Vivre comme un HORS-LA-LOI. *Un groupe de* MARGINAUX. *Les* LAISSÉS-POUR-COMPTE *de la société.*
❍ Hors-la-loi, marginal, laissé-pour-compte, brigand, vagabond.

OUTPUT

Le RENDEMENT *d'une machine. La* PUISSANCE *d'un équipement électrique.*
⇨ Voir aussi *input*, *output*.
❍ Rendement, puissance – produit – RECOMM. OFFIC. produit de sortie, informations sortantes.

OUTSIDER

*Bien que non favori, ce cheval fait figure d'*ÉVENTUEL. *Le Prix de l'Arc de triomphe a été remporté cette année par un cheval* HORS RANG. *Dans cette élection, tel candidat fait figure de* TROISIÈME HOMME.
⇨ Un *outsider* désigne traditionnellement un concurrent qui n'est pas favori mais qui a des chances

de gagner. Par une extension quelque peu malheureuse, il désigne aussi celui dont la performance surprend. L'adjectif substantivé *éventuel* semble répondre assez bien à ces deux acceptions.
❍ PROP. [éventuel], hors rang, prétendant ou favori de second rang (ou de seconde ligne), troisième homme.

OVERDOSE
Mort par SURDOSE. – *Il a regardé la télévision jusqu'à* SATURATION.
❍ RECOMM. OFFIC. surdose, dose mortelle – saturation, excès, abus.

OVERDRIVE
Vitesse SURMULTIPLIÉE.
❍ Surmultiplication, surmultiplié.

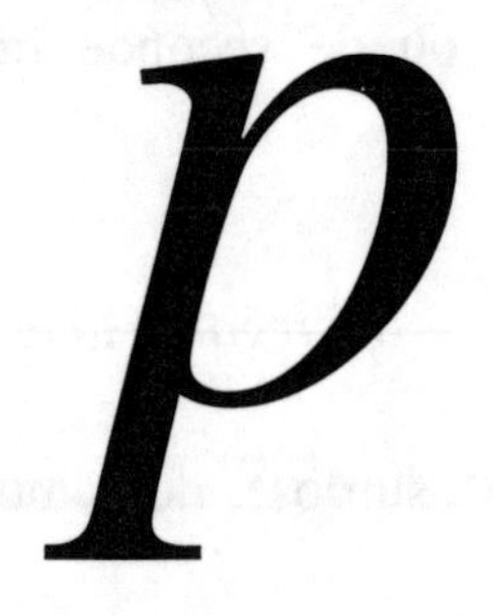

PACEMAKER

Il doit désormais porter un STIMULATEUR CARDIAQUE.

❍ Stimulateur cardiaque.

PACK

1 – *Un* LOT *de bouteilles d'eau minérale. Un* PAQUET *de bières.* BERLINGOT *d'eau de Javel. Une* BRIQUE *de lait. Un* JEU *de tournevis.*

❍ Lot, paquet, berlingot, brique, jeu.

2 – *Le* PAQUET *des avants.*

⇨ RUGBY.

❍ RECOMM. OFFIC. paquet.

PACKAGE

1 – *L'*OFFRE GLOBALE *comprend le trajet en avion, le séjour à l'hôtel en demi-pension, ainsi que les excursions guidées.*

○ Offre globale, programme complet, forfait vacances, forfait séjour, achat groupé, lot.

2 – *Un* PROGICIEL *contenant un traitement de texte et un dictionnaire électronique. Une* OFFRE LOGICIELLE *très intéressante.*

⇨ INFORMATIQUE.

○ Progiciel, offre logicielle, ensemble de logiciels.

PACKAGING

Soigner la PRÉSENTATION *d'un parfum. La* PRÉSENTATION *change tout ! Le nouveau* CONDITIONNEMENT *d'un médicament.*

○ Présentation, emballage, RECOMM. OFFIC. conditionnement, empaquetage.

PAGER

Un chirurgien alerté par un message sur son RÉCEPTEUR D'APPEL.

⇨ *Alphapage* est un nom déposé.

○ Récepteur d'appel, Alphapage, agenda électronique.

PANEL

Un ÉCHANTILLON *représentatif des 15-20 ans. Interroger un* GROUPE TÉMOIN *de consommatrices.*

○ Échantillon, groupe témoin.

PARKING

STATIONNEMENT *interdit. Le* PARCAGE *d'une camionnette est toujours plus malaisé. – L'*AIRE DE STATIONNEMENT *d'un supermarché.* PARC DE STATIONNEMENT. PARC *payant, gardé. Louer un* EMPLACEMENT RÉSERVÉ. *L'exiguïté de ce* GARAGE *souterrain rendait le* PARCAGE *fort malaisé.*

⇨ « Place de parc » est à proscrire, car il n'est qu'une traduction malhabile du mot allemand *Parkplatz.*

○ Stationnement, parcage – RECOMM. OFFIC. parc (aire) de stationnement, parc à voitures (à vélos), place de stationnement, emplacement réservé, garage, remise – zone de stationnement.

PASSING-SHOT

Clouer l'adversaire au filet par un TIR PASSANT *imparable.*

⇨ TENNIS.

○ Tir passant.

PASSWORD

L'accès à ce niveau d'information nécessite de donner son MOT DE PASSE.

⇨ INFORMATIQUE.
❍ Mot de passe, clé d'accès, sésame.

PATCH
Le principe actif d'un TIMBRE *tuberculinique.*
❍ Timbre, pastille cutanée adhésive.

PATCHWORK
Une MOSAÏQUE *de tissus de provenances, de matières et de couleurs diverses. Parquet* MOSAÏQUE. *L'Italie était une « véritable* MOSAÏQUE *de principautés »* (Madelin). *Tissu en* DAMIER. *Un dessus-de-lit* ARLEQUIN. *Une étoffe* BARIOLÉE. *La* BIGARRURE *d'une étoffe. Une foule* BIGARRÉE. *Un* ASSORTIMENT *hétéroclite. Une décoration faite* DE BRIC ET DE BROC. – *Esprit encombré d'un* FATRAS *de connaissances mal assimilées.*
❍ Mosaïque, damier, arlequin, bariolage, bigarrure, assortiment, de bric et de broc – fatras, salmigondis, ensemble disparate ou hétéroclite, mélange hétérogène.

PATTERN
MODÈLE *d'une structure. Tissu imprimé à grands* MOTIFS *de fleurs. L'*ARCHÉTYPE *culturel propre aux Français. La même* STRUCTURE *se répète plusieurs fois. Réagir selon un* SCHÉMA *préétabli.* SCHÈME *d'action. Une* LOGIQUE *répétitive.*
❍ Modèle, patron, matrice, motif, archétype, struc-

ture, schéma, schème, dessin, moule, maquette, plan, logique.

PC, PERSONAL COMPUTER

*La vente d'*ORDINATEURS INDIVIDUELS *ne cesse de progresser.*

⇨ INFORMATIQUE.

❍ Ordinateur individuel, familial ou de bureau.

PEDIGREE

Établir le LIVRE GÉNÉALOGIQUE *d'une bête de race. – « Une demoiselle de haut* LIGNAGE » (Gustave Flaubert). *Établir sa* FILIATION. *Avoir un fils pour toute* LIGNÉE.

⇨ Ce terme s'applique aux animaux. C'est par ironie qu'il s'emploie pour les personnes.

❍ Livre généalogique (d'un animal), souche – ascendance, descendance, filiation, lignage, lignée, branche.

PEELING

Son dermatologue a pratiqué sur elle une DESQUAMATION *pour atténuer ses rides.* GOMMAGE *de la peau. Crème* EXFOLIANTE *à l'extrait d'avocat.*

❍ Desquamation, gommage, exfoliation.

PEEP-SHOW

Les MIRODROMES *de Pigalle.*

⇨ *Mirodrome* n'est pas familier. Par attraction de

miroir, *mirer* signifie « regarder dans une surface polie », celle des glaces sans tain derrière lesquelles s'exhibe une femme nue.
❍ Mirodrome, attraction à caractère pornographique.

PENALTY
L'arbitre a sifflé un TIR DE RÉPARATION.
⇨ FOOTBALL.
❍ Tir de réparation, coup de pied de réparation.

PENTHOUSE
Vivre dans un luxueux ATTIQUE *à New York.*
❍ Attique de grand confort, appartement-terrasse, comble aménagé.

PEOPLE
Un ÉCHOTIER MONDAIN. *La* PRESSE MONDAINE *se déchaîne.*
⇨ *People* se voit notamment dans les expressions *journaliste people* et *presse people*.
❍ Échotier mondain, presse mondaine, magazine des gens célèbres (des gens en vue).

PEP
Manquer de TONUS. *Quelle* ÉNERGIE *!*
❍ Tonus, dynamisme, énergie, entrain, ardeur, mordant, fougue, allant, boute-en-train.

PEPPERMINT

Je prendrai une LIQUEUR DE MENTHE. *Un bonbon* À LA MENTHE.

⇨ Il s'agit de la menthe naturellement poivrée (en latin *Mentha piperita*).

❍ Liqueur de menthe (poivrée), à la menthe.

PESTICIDE

Un produit DÉBROUSSAILLANT. *Un* DÉSHERBANT *efficace. – Une bombe d'*INSECTICIDE.

⇨ Le terme *pesticide*, calqué de l'anglais, désigne un produit chimique qui s'emploie à la fois contre les parasites animaux et végétaux des cultures.

❍ Débroussaillant, désherbant, herbicide – fongicide – insecticide – raticide.

PHONING

Le DÉMARCHAGE TÉLÉPHONIQUE *avec un but commercial n'est pas encore entré dans les mœurs françaises.*

❍ Démarchage téléphonique.

PHOTO-FINISH

Examiner attentivement la PHOTO D'ARRIVÉE *d'une course de chevaux. Une* PHOTO D'ARBITRAGE *a été nécessaire pour désigner le vainqueur.*

⇨ SPORT.

❍ Photo d'arrivée, PROP. [photo d'arbitrage, photo-partage].

PICKPOCKET

Un ESCAMOTEUR *de portefeuilles. Les* VOLEURS À LA TIRE *du métro. La dernière spécialité italienne : le* VOL À L'ARRACHÉ. *« Sa main rapide de* CHAPARDEUSE, *habile à filouter les oranges des étalages »* (Colette). DÉTROUSSEUR *de passant.*

❍ Escamoteur, voleur à la tire, voleur à l'arraché, chapardeur, détrousseur.

PICK-UP

Une vieille CAMIONNETTE À PLATEAU DÉCOUVERT *s'était arrêtée devant ma maison.*

❍ Camionnette à plateau découvert.

PIERCING

Le PERÇAGE *de la narine n'est pas sans conséquence.*

❍ Perçage.

PILOT CASE

Une imposante MALLETTE DE BORD *en cuir noir fermée par deux serrures à clé. La* MALLETTE D'OPÉRATEUR *est assez large pour contenir divers instruments. La* MALLETTE DU COMMANDANT *de bord contenait les documents du plan de vol ainsi qu'un nécessaire de voyage.*

❍ PROP. [mallette de bord], mallette d'opérateur (ou d'intervention), mallette de commandant.

PIN

Ce connecteur possède neuf BROCHES.

⇨ INFORMATIQUE.

❍ Broche.

PING-PONG

Jouer au TENNIS DE TABLE.

❍ Tennis de table.

PIN'S

Une ÉPINGLETTE *à l'emblème de la Coupe du monde. Une* BROCHE *en or. Il arborait l'*INSIGNE *des aviateurs.*

❍ RECOMM. OFFIC. épinglette, broche, insigne, emblème, écusson, décoration, médaille, macaron – agrafe, fibule.

PIN-UP

*Un mur recouvert d'*AFFICHETTES DE CHARME. *Faire la collection de* FILLES DE PAPIER. *C'est une vraie* GRAVURE ÉROTIQUE. – *Quelle* BELLE PLANTE *!*

⇨ *Gravure érotique* est construit sur le modèle de gravure de mode. *Belle plante* appartient au registre familier.

❍ Affichette de charme, fille de papier, gravure érotique, photo de nu, idole sexuelle – mannequin, jolie fille, belle plante.

PIPELINE

Le gaz naturel est transporté par GAZODUC, *le pétrole par* OLÉODUC.

❍ Gazoduc, oléoduc, tuyau, conduite, canalisation.

PIPER-CUB

Un PETIT AVION D'OBSERVATION *survolait le désert.*

❍ Petit avion d'observation.

PITCH

Le PAS DE MASQUE *est la résolution optique d'un écran, sa finesse ; elle est généralement de 0,28 millimètres.*

⇨ INFORMATIQUE.

❍ Pas de masque.

PIXEL

Une image en 640 × 400 POINTS.

⇨ INFORMATIQUE.

❍ Point (lumineux).

PLAID

Une COUVERTURE DE VOYAGE *en lainage écossais.*

❍ Couverture de voyage.

PLANNING

Respecter le CALENDRIER. *Établir l'*ÉCHÉANCIER *d'un projet.* PLANIFICATION *méthodique du travail. Je n'ai plus de place sur mon* CAHIER DE RENDEZ-VOUS. *Avoir*

un EMPLOI DU TEMPS *très chargé.* PROGRAMME *des réformes.*
❍ Calendrier, échéancier, planification, planigramme, carnet ou cahier de rendez-vous, emploi du temps, programme, (plan de travail), programmation, organisation.

PLANNING FAMILIAL
Centre de PLANIFICATION FAMILIALE.
❍ Planification familiale, planification des naissances, régulation des naissances, limitation des naissances.

PLAY-BACK
Chanter en PRÉSONORISATION.
❍ RECOMM. OFFIC. présonorisation.

PLAY-BOY
Elle s'affiche avec un BELLÂTRE. *Le* TARZAN *des plages. « Il faut être un* ADONIS *pour se faire peindre »* (Frédéric II). *C'est un* SÉDUCTEUR, *un vrai* DON JUAN, *méfiez-vous de lui !*
❍ Bellâtre, Adonis, éphèbe – séducteur, don Juan, coureur, bourreau des cœurs, vert galant.

PLAYMATE
La FILLE DE COUVERTURE *du mois d'août est une ravissante Tahitienne.*

❍ PROP. [fille de couverture], modèle de charme, Vénus, Aphrodite, nymphette.

PLAY-OFF

Jouer les PROLONGATIONS. – *Gagner la* RENCONTRE DÉCISIVE.

⇨ SPORT. Les Anglais et les Américains n'ont pas la même définition de *play-off*.

❍ Prolongation, départage – rencontre décisive, la belle.

PLUG AND PLAY

Souvent le PRÊT À L'EMPLOI *en informatique tient plus du vœu que de la réalité ! Une extension du type* « CONNECTEZ-VOUS, C'EST PARTI ! ».

⇨ INFORMATIQUE. Un robot ménager *prêt à l'emploi* n'a jamais dispensé son acquéreur de le brancher pour le faire fonctionner. Il est donc inutile d'inventer une nouvelle expression qui le préciserait.

❍ Prêt à l'emploi, prêt à employer, « connectez-vous, c'est parti ! ».

PLUG-IN

Avez-vous le MODULE D'EXTENSION *adéquat ?*

⇨ INFORMATIQUE.

❍ Module d'extension.

P.M.

❍ Voir *A.M.*

POLE POSITION

Occuper la POSITION DE TÊTE *au départ d'une course.*

⇨ SPORT.

○ RECOMM. OFFIC. position de tête, position de pointe.

POLISH

Passer un meuble à la CIRE. *Un* CIRAGE *pour chaussures. Passer un* BRILLANT *sur une carrosserie. Un* LUSTRE *pour voiture.*

○ Cire, cirage, lustre, brillant, enduit, pâte à polir.

POOL

1 – GROUPE *bancaire. Des* CONSORTIUMS *d'achat.* ENTENTE *entre producteurs.* SYNDICAT *financier.* SYNDICAT *de propriétaires.* GROUPEMENT *d'intérêt économique. – L'*ÉQUIPE *de la rédaction. Un* RÉSERVOIR *de main-d'œuvre.*

⇨ FINANCE.

○ Groupe, consortium, entente, tour de table, syndicat, groupement, alliance, omnium, syndicat de prise ferme – équipe, réservoir.

2 – *Une* PISCINE *privée.*

⇨ *Pool* cherche à s'introduire par l'intermédiaire de noms de marque en rapport avec la *piscine*.

○ Piscine, bain, bain à remous, bassin.

POP-CORN

Un paquet de GRAINS DE MAÏS SOUFFLÉS.

❍ Grains de maïs soufflés.

PORRIDGE

On nous servait au petit déjeuner une BOUILLIE DE FLOCONS D'AVOINE.

❍ Bouillie de flocons d'avoine.

PORTABLE

⇨ GLISSEMENT DE SENS. Quoique très courant, cet adjectif parfois substantivé est un anglicisme quand il est utilisé dans le sens de « portatif ». De plus, pourquoi ne pourrait-on pas s'inspirer de la lampe de poche pour indiquer un téléphone qui se glisse si facilement dans une poche de veston ? Son poids réduit le rend évidemment « portable », mais ce n'est pas là sa qualité première.

Ordinateur ~~PORTABLE~~ *: ordinateur* PORTATIF. *Téléphone* ~~PORTABLE~~ *: téléphone* MOBILE, *téléphone* À MAIN, *téléphone* DE POCHE.

POSTER

Fixer une AFFICHE *au mur de sa chambre. Deux* IMAGES *format grand aigle de sa vedette préférée. Sur le mur était un* TABLEAU PHOTOGRAPHIQUE *représentant une plage bretonne.*

⇨ Le papier de format grand aigle a une taille de 75 × 106 cm.
○ Affiche, affichette, image, PROP. [tableau photographique], photo décorative.

POST-IT
Une NOTE ENCOLLÉE *placée bien en évidence sur la porte du réfrigérateur. Il fonctionnait aux* PENSE-BÊTES.
⇨ *Post-it* est un nom de marque.
○ Note (ou bloc-notes) encollée, pense-bête, note repositionnable.

POULE
Chaque joueur doit rencontrer tous les adversaires de son GROUPE DE COMPÉTITION CROISÉE. *Vainqueur du* GROUPE *A.*
⇨ SPORT. Traduction maladroite de *pool*, *poule* ne veut rien dire.
○ Groupe, PROP. [groupe de compétition croisée].

PRACTICE
Apprendre les gestes du golf sur un TERRAIN D'ENTRAÎNEMENT. *S'entraîner aux coups longue distance sur le* CHAMP DE TIR.
⇨ GOLF.
○ Terrain d'entraînement, champ de tir.

PRÉGNANT

⇨ GLISSEMENT DE SENS. Est *prégnant* ce qui s'impose à l'esprit. Lorsque ce mot est pris dans le sens de « qui contient de nombreuses possibilités », il s'agit d'un anglicisme.

Une situation ~~PRÉGNANTE~~ *: une situation* RICHE EN POSSIBILITÉS.

PRESSING

1 – *Donner un costume à la* TEINTURERIE.

⇨ Le *teinturier* a la charge d'entretenir les vêtements : nettoyage, dégraissage, repassage et aussi, mais pas seulement, teinture.

❍ Teinturerie, nettoyage à sec.

2 – *Maintenir l'adversaire sous* PRESSION. *Les Américains* FONT PRESSION *pour obtenir la signature d'un accord.*

❍ Pression, faire pression.

PRICE EARNING RATIO

Étudier le COEFFICIENT DE CAPITALISATION DES RÉSULTATS *des plus grandes entreprises françaises. Au-delà de 30, le* CCR *devient inquiétant.*

⇨ FINANCE. Le *PER* devient le *CCR*.

❍ Coefficient de capitalisation des résultats ou CCR, taux de capitalisation boursière.

PRIME TIME

Son reportage a été diffusé à une HEURE DE FORTE ÉCOUTE.

❍ Heure de forte ou de grande écoute.

PRINTER

Les IMPRIMANTES *peuvent être* MATRICIELLES, À JET D'ENCRE *ou* LASER.

⇨ INFORMATIQUE.

❍ Imprimante (matricielle, à jet d'encre, laser).

PROCESS

PROCESSUS *ou* PROCÉDURE *de fabrication.* PROCÉDÉ *technique. Ingénieur de* PROCÉDÉ. *Perfectionner les* MÉTHODES *d'une industrie.* DÉVELOPPEMENT *photographique.*

⇨ *Ingénieur de procédé* est la recommandation officielle pour *ingénieur process.*

❍ Processus, procédure, procédé, méthode, traitement, développement, formule, système.

PROMOTION

⇨ GLISSEMENT DE SENS. En français, la *promotion* est synonyme d'« élévation, émancipation, avancement ». Elle n'est pas synonyme d'une baisse quelconque de valeur, ce qui est sous-entendu par l'expression *promotion des ventes,* anglicisme évoquant le rabais, les soldes, l'action publicitaire. Une telle acception ne peut être que source de confusion : la *promotion sociale ou économique* serait-elle alors l'accession à un niveau de vie supérieur ou l'occasion d'obtenir une reconnaissance sociale au rabais ? *Notre* ~~PROMOTION~~ *du mois : notre* OFFRE *du mois.* ~~PROMOTION~~ *des ventes :* DÉVELOPPEMENT, ENCOURAGEMENT *des ventes.* CAMPAGNE *de vente. Cet article est* EN ~~PROMOTION~~ *: cet article est* EN OFFRE, *cet article est vendu* AU RABAIS, *cet article est* EN ACTION (Suisse).

PROMOTIONNEL

⇨ GLISSEMENT DE SENS. Voir *promotion.*

Vente ~~PROMOTIONNELLE~~ *: vente* À PRIX RÉDUITS. *Tarifs* ~~PROMOTIONNELS~~ *: tarifs* RÉDUITS *ou* INCITATIFS.

PROMOTIONNER

⇨ GLISSEMENT DE SENS. Voir *promotion.*

~~PROMOTIONNER~~ *une marque de yaourt :* LANCER, RELANCER, METTRE EN VALEUR *une marque de yaourt.*

PROMPT

*L'*INVITE *sollicite l'utilisateur à entrer une donnée ou un ordre dans le programme en cours d'exécution.*

⇨ INFORMATIQUE.

O Invite.

PROMPTEUR

Le présentateur se bornait à lire méthodiquement sur le TÉLÉSOUFFLEUR.

❍ RECOMM. OFFIC. télésouffleur.

PROSPECT

Établir une liste des CLIENTS POTENTIELS *avant de se lancer dans une campagne de publipostage. Avez-vous recontacté les* PERSONNES *que vous aviez* SOLLICITÉES *le mois dernier ?*

❍ Client (ou acheteur, ou consommateur) potentiel, personne sollicitée.

PUB

Ils se sont donné rendez-vous dans un BAR À BIÈRE.

⇨ Par ses caractéristiques toutes britanniques, le *pub* fait figure de xénisme et ne saurait réellement être rendu par un équivalent français.

❍ Bar à bière.

PUBLICISTE

Engager un PUBLICITAIRE *de génie.*

⇨ *Publiciste* dans le sens de « publicitaire » est à éviter, car ce mot désigne en français un journaliste ou un juriste spécialisé dans les affaires publiques (politique et droit)

❍ Publicitaire.

PUBLIC-RELATIONS

Cette entreprise veille à soigner ses RELATIONS AVEC LE PUBLIC. *Stratégie de* COMMUNICATION. *Un déficit d'*IMAGE.

⇨ Éviter la locution « relations publiques » qui ne veut rien dire.

❍ Relations avec le public, communication, image.

PULL-OVER

Un CHANDAIL *à col roulé. Passer une* PETITE LAINE. TRICOT *fait main.*

⇨ *Pull* est acceptable, *pull-over* l'est moins.

❍ Chandail, petite laine, tricot, pull – gilet.

PULSÉ, PULSER

Chauffage par VENTILATION *thermique. Air* SOUFFLÉ. *Une pièce bien* VENTILÉE.

❍ Ventilation, soufflerie, souffler (air).

PUNCH

1 – *Boire un verre de* PONCH.

⇨ Le *punch* est une boisson alcoolique à base d'eau-de-vie de canne à sucre (rhum) parfumée de citron et d'épices. *Ponch* est la nouvelle graphie officielle de *punch* et se conforme ainsi à sa prononciation.

❍ Ponch.

2 – « *L'absence de* MORDANT *de l'armée américaine* » (André Gide). *Être plein d'*ARDEUR. *Quel*

TONUS ! *Il manque de* DYNAMISME. *La* FOUGUE *d'un orateur.*

○ Mordant, ardeur, tonus, dynamisme, fougue, vigueur, impétuosité.

PUNCHING-BALL

Une salle équipée de BALLONS DE BOXE.

○ PROP. [ballon de boxe, ballon de frappe].

PUTT

Se concentrer avant de frapper sa PICHENETTE.

⇨ GOLF.

○ PROP. [pichenette].

PUTTER

Donnez-moi la CANNE DE FINITION.

⇨ GOLF.

○ PROP. [canne de finition].

PUZZLE

Offrir un JEU DE RECONSTITUTION *de cinq cents pièces.*

○ Jeu de reconstitution, jeu de patience, jeu d'assemblage, casse-tête.

RACK

Accrocher des vêtements sur un PORTANT. *Enclencher une carte graphique sur le* RAIL *approprié.*

❍ Portant, rail, baie, compartiment, tiroir.

RACKET

RANÇONNEMENT *scolaire.* EXTORSION DE FONDS *sous la menace. Céder au* CHANTAGE. *« Les acquéreurs se feraient [...] complices de la* SPOLIATION *»* (Jules Romains).

❍ Rançonnement, extorsion de fonds, chantage, spoliation.

RACKETTER

Brigands qui RANÇONNAIENT *les voyageurs.* EXTORQUER *de l'argent par artifice.* SPOLIER *quelqu'un de son héritage.*

❍ Rançonner, extorquer, faire chanter, spolier.

RACKETTEUR

Les MAÎTRES CHANTEURS *de la Mafia.*

❍ Rançonneur, maître chanteur, extorqueur, spoliateur.

RAFT

Louer un INSUBMERSIBLE *pour descendre une rivière.*

❍ Canot pneumatique, insubmersible – radeau.

RAFTING

S'adonner à la DESCENTE DE RAPIDES.

⇨ SPORT.

❍ Descente de rapides, descente en eaux vives.

RAIDER

Un ATTAQUANT *étranger lance une OPA hostile.*

⇨ FINANCE. Une OPA est une offre publique d'achat.

❍ RECOMM. OFFIC. attaquant, prédateur (boursier).

RANCH

On ne voyait partout que des FERMES D'ÉLEVAGE.

⇨ *Ranch* est acceptable lorsqu'il est employé dans un contexte américain.

❍ Ferme d'élevage.

RANDOMISATION

ÉCHANTILLONNAGE AU HASARD *pour une enquête publique. Choix par* HASARDISATION *des malades sur lesquels seront testés les nouveaux médicaments.*

❍ Échantillonnage aléatoire, sélection aléatoire, échantillonnage au hasard, hasardisation.

RATING

*Une agence d'*ÉVALUATION. *La* COTE *d'une obligation.* NOTATION *d'un fonctionnaire.* INDICE *d'écoute.* INDICATEUR *de tendance. Agence d'*ESTIMATION.

⇨ FINANCE. L'*évaluation* peut s'appliquer à une société ou à un titre. La solvabilité d'un emprunteur particulier est désignée par l'anglicisme *scoring* (voir ce mot).

❍ Évaluation, cote, notation, indice, indicateur, estimation, échelon, classe.

RÉALISER

⇨ GLISSEMENT DE SENS. *Réaliser* signifie « rendre concret ». Ce n'est pas le fait de « comprendre », de « se rendre compte », de « mesurer l'importance », de « se faire une idée nette » ou de « prendre conscience ». Que faut-il entendre par : « *C'était une affaire, je l'ai réalisé(e) !* » ? Cette personne a-t-elle concrétisé l'affaire ou a-t-elle seulement compris que c'en fut une ? *Tu as mis du temps à* ~~RÉALISER~~ *! : tu as mis du temps à* COMPRENDRE *!*

REBOOT
L'ordinateur se RÉAMORCE, *c'est bon signe.*
⇨ INFORMATIQUE. *Réamorcer* est proposé par la Commission générale de terminologie et de néologie.
○ Réamorcer (réamorçage).

RECORDMAN
Le DÉTENTEUR DU RECORD *du 110 mètres haies.*
○ Détenteur d'un record.

RECORDWOMAN
La DÉTENTRICE DU RECORD *de France du saut en hauteur.*
○ Détentrice d'un record.

RELAX
Tenue DÉCONTRACTÉE. DÉTENDS-*toi ! Un air* SEREIN. *Une attitude* DÉGAGÉE. *Manières* DÉSINVOLTES.
○ Décontracté, détendu, calme, dégagé, amène, serein, tranquille, désinvolte, confiant, sans complexe, sans problème.

RELEASE
La dernière VERSION *de ce logiciel corrige un vice caché.*
⇨ INFORMATIQUE.
○ Version, mouture, révision, parution, édition.

RELOOKER, RELOOKING

Ce visagiste a complètement MODIFIÉ SON APPARENCE. REMODELER *un ensemble urbain.* REDESSINER *une carrosserie.* RÉNOVER *la façade.* MODERNISER *son image.* REMANIER *la mise en page d'une publicité. Un manuel scolaire entièrement* REFONDU.

○ Modifier son apparence (allure, aspect, silhouette), remodeler, redessiner, remettre à neuf, faire peau neuve, rénover, restaurer, rafraîchir, raviver, embellir, renouveler, moderniser, transformer, métamorphoser, transfigurer, remanier, refondre.

REMAKE

La REPRISE *d'un film à succès. Dans sa* NOUVELLE VERSION, *ce film se termine bien.*

○ Reprise, refonte, nouvelle version, nouvelle mouture – plagiat.

REMIX

La RÉORCHESTRATION *d'un air connu.*

○ Réorchestration.

REPORTER

REPORTEUR *photographe.* CORRESPONDANT *à l'étranger. De notre* ENVOYÉE *spéciale à Stockholm. Notre* CORRESPONDANT LOCAL *à Strasbourg.*

○ RECOMM. OFFIC. reporteur, correspondant (local), envoyé (spécial), localier, échotier.

REPORTER-CAMERAMAN

Il travaille à l'agence comme REPORTEUR D'IMAGES.

❍ RECOMM. OFFIC. reporteur d'images.

REPRINT

Une RÉÉDITION *augmentée. Ouvrage en* RÉIMPRESSION. REPUBLICATION *d'un roman épuisé.*

❍ Réédition, réimpression, republication.

RESET

Si votre programme est bloqué, il faut RÉINITIALISER *votre ordinateur en appuyant sur le bouton de* RÉINITIALISATION *de la machine.*

⇨ INFORMATIQUE. *Réinitialiser* est proposé par la Commission générale de terminologie et de néologie.

❍ Réinitialiser, redémarrer, relancer, réamorcer.

RESORT

Faire une cure dans une STATION THERMALE. *Un* LIEU DE VILLÉGIATURE *à la mode.*

❍ Lieu de villégiature (de plaisance), station balnéaire (thermale, climatique, d'altitude, de sports d'hiver, de ski).

RESORT HOTEL

Séjourner dans un HÔTEL DE VILLÉGIATURE.

❍ Hôtel de villégiature.

RESTYLING, RESTYLER

REMODELAGE *d'une coupe de cheveux.* CHANGER DE STYLE. *Une voiture complètement* REDESSINÉE.

❍ Remodelage, changement de style, modification de l'apparence (allure, aspect), redessiner, rafraîchissement, modernisation, renouvellement, transformation, métamorphose.

REVIVAL

La REVIVISCENCE *d'un souvenir. La* REVIVISCENCE *d'un art.* REPRISE *économique. Le* RENOUVEAU *artistique. Le* RÉVEIL DE LA FOI. RÉTABLISSEMENT *d'une coutume.*

❍ Reviviscence, reprise, redressement, renouveau, renaissance, réveil de la foi, rétablissement, retour.

REWRITER

RÉCRIRE *un texte.* REMANIER *un article trop long. Un manuel grammatical entièrement* REFONDU. ADAPTER *un roman pour le théâtre, la télévision.*

❍ Récrire, remanier, refondre, adapter.

REWRITEUR

Un essai retouché par un RÉDACTEUR-RÉVISEUR. RÉVISEUR *de traductions. L'*ADAPTATEUR *d'une pièce de théâtre.*

❍ Rédacteur-réviseur, réviseur, correcteur, adaptateur.

REWRITING

La RÉÉCRITURE *est un des métiers de l'édition. La* RÉVISION *d'un contrat.* REMANIEMENT *d'un texte. La* REFONTE *d'un ouvrage.*

❍ Réécriture, révision, remaniement, refonte, correction, adaptation.

RING

*Monter sur l'*ESTRADE. *Descendre dans l'*ARÈNE. – *Entrer en* LICE. *Entrer en* PISTE.

❍ Estrade, arène – lice, piste.

ROADSTER

Un CABRIOLET *grand sport.*

❍ Cabriolet.

ROAST-BEEF

Une tranche de ROSBIF.

❍ Rosbif, tranche de bœuf rôti.

ROCKET

ROQUETTE *antichar.*

❍ Roquette.

ROCKING-CHAIR

Un FAUTEUIL À BASCULE *trônait au milieu du salon. Se prélasser dans une* BERCEUSE.

❍ Chaise ou fauteuil à bascule, berceuse.

ROLLER

1 – *Une paire de* PATINS À ROULETTES. *S'acheter une paire de* CHAUSSURES À ROULETTES.

⇨ Les *roller skates* sont des *chaussures à roulettes.*

❍ Patin à roulettes, chaussure à roulettes.

2 – *Un* FEUTRE-BILLE *noir.*

❍ Feutre-bille.

ROMANCE

⇨ GLISSEMENT DE SENS. La *romance* est une « composition poétique ou musicale sur un thème sentimental », également une « chanson sentimentale ». En aucun cas, il ne faut confondre ce mot avec une idylle, une intrigue amoureuse, une histoire sentimentale.

C'est une belle ~~ROMANCE~~ *: c'est une belle* HISTOIRE D'AMOUR.

ROMSTEAK, RUMSTECK

L'aiguillette du ROMSTECK. *Un morceau dans l'*ALOYAU.

❍ Aloyau, romsteck.

ROUGH

1 – *Présenter un* AVANT-PROJET. *Étude d'un* PROJET. *Œuvre à l'état d'*ÉBAUCHE. *Ce n'est qu'une* ESQUISSE. *Le* CANEVAS *d'un discours. L'illustrateur a apporté quelques* CRAYONNÉS.

❍ Avant-projet, projet, ébauche, esquisse, croquis, canevas, maquette, crayonné, brouillon.

2 – *Envoyer sa balle dans le* FOLLET.

⇨ GOLF. Par son caractère capricieux et irrégulier, le *follet* évoque bien ce à quoi peut s'attendre un joueur de golf lorsqu'il envoie sa balle dans le *rough*, c'est-à-dire hors du tracé de jeu.

❍ PROP. [follet].

ROUND

Mis à terre à la cinquième REPRISE. *Entamer un nouveau* CYCLE *de négociations commerciales.*

❍ Reprise (boxe), tour, période, manche, cycle, série.

ROUND TABLE

Participer à une TABLE RONDE. *Les* ENTRETIENS *de l'hôpital Bichat.*

❍ Table ronde, réunion, discussion, entretien, conférence, colloque.

ROYALTIES

Les REDEVANCES *versées aux pays producteurs de pétrole. Vivre de ses* DROITS D'AUTEUR. *Il perçoit une* COMMISSION *sur chaque transaction.*

❍ RECOMM. OFFIC. redevance, droits d'auteur, droits d'inventeur, droits dérivés, commission.

RUGBY

La terre de prédilection du BALLON OVALE.

⇨ SPORT. Pour les puristes : ballon ovale, jeu à treize, jeu à quinze.

RUGBYMAN

Les vestiaires sont assaillis par des JOUEURS DE RUGBY.

⇨ SPORT. Pour les puristes : joueur de ballon ovale.

❍ Joueur de rugby.

RUSH, RUSHES

1 – *La* RUÉE *des vacanciers vers la plage.* BOUSCULADE *au rayon jouets. Il y a eu un* AFFLUX *de visiteurs. Un* FLOT *ininterrompu de voyageurs. Lors des soldes, c'est la* COHUE *dans les magasins. Nous sommes en pleine* HEURE D'AFFLUENCE.

❍ Ruée, bousculade, afflux, flot, cohue, déferlement, heure d'affluence, heure de pointe.

2 – (Au pluriel) *Les* ÉPREUVES DE TOURNAGE *s'annoncent intéressantes.*

❍ Épreuves de tournage.

S

SANDWICH

1 – *Un* PAIN GARNI *au jambon de Parme. Un* PAIN À ÉTAGES *où se superposent les concombres, les œufs, le fromage et le jambon. Se contenter d'un* JAMBON-BEURRE *à midi.*

⇨ *Sandwich* était le nom d'un aristocrate anglais qui ne quittait presque jamais la table de jeu et auquel on apportait des en-cas froids. Outre le traditionnel *jambon-beurre*, on peut proposer en remplacement *pain garni* ou *pain serré.* Lorsque l'en-cas comporte des tranches de pain de mie intermédiaires, on parlera de *pain à étages* (la découpe est souvent de forme triangulaire).

❍ PROP. [pain ou baguette garnis, pain serré, pain à

étages, pain fourré], jambon-beurre, en-cas, casse-croûte.
2 – *Pris en* ÉTAU. *L'armée resserre son* ÉTREINTE.
❍ Étau, tenaille, étreinte.

SCANNER
Une image doit être préalablement NUMÉRISÉE *pour être enregistrée dans un ordinateur.*
⇨ INFORMATIQUE.
❍ Numériser.

SCANNER
Un NUMÉRISEUR *d'images effectue son balayage ligne par ligne.*
⇨ La simple francisation en « scanneur » ne semble pas être un choix heureux.
❍ Numériseur (à balayage).

SCANNING
La NUMÉRISATION *d'une diapositive.*
⇨ INFORMATIQUE.
❍ Numérisation.

SCIENCE-FICTION
*Roman d'*ANTICIPATION. *Le* FANTASTIQUE *en littérature. Un film* FUTURISTE.
❍ Anticipation, fantastique, futuriste.

SCOOP

Une EXCLUSIVITÉ *du journal d'information.* – DÉPÊCHE *qui tombe sur le téléscripteur. Une* NOUVELLE *sensationnelle. Une* INFORMATION *en* PRIMEUR.

❍ RECOMM. OFFIC. exclusivité, primeur, première – dépêche, nouvelle, information.

SCOOTER

Un livreur de pizzas assis sur son BOURDON *de couleur rouge.*

⇨ *Vespa* est une marque déposée tirée directement du mot italien pour « guêpe ». Mais le carénage et le vrombissement proche du bourdonnement de ce motocycle le font se rapprocher davantage du *bourdon* que de la guêpe.

❍ PROP. [bourdon], Vespa.

SCORE

Mener à la MARQUE.

❍ Marque.

SCORING

*Procéder à l'*ÉVALUATION *de la solvabilité d'un emprunteur à son insu.*

⇨ FINANCE.

❍ Évaluation, scorage.

SCOTCH

Un morceau de RUBAN ADHÉSIF.

⇨ *Scotch* est une marque déposée.

❍ Ruban adhésif, adhésif, papier gommé, papier collant, sparadrap.

SCOTCHER

J'ai FIXÉ *l'affiche avec un morceau de ruban adhésif.*

⇨ C'est l'action de *coller* avec du ruban adhésif.

❍ Fixer, coller, adhérer.

SCRABBLE

Jouer aux MOTS COMPOSÉS.

⇨ *Scrabble* est une marque déposée. Le jeu des *mots composés* est calqué sur mots croisés.

❍ PROP. [mots composés].

SCRATCHER

Ce participant a été RAYÉ *du tournoi. Il a été* MIS HORS LICE. – *Je préfère* DÉCLARER FORFAIT *pour ne pas aggraver ma blessure.*

⇨ SPORT.

❍ Rayer, PROP. [mettre hors lice] – déclarer forfait, se retirer.

SCRIPT

Lire un SCÉNARIO. – *On y distinguait une* ÉCRITURE CALLIGRAPHIÉE.

❍ Scénario – écriture calligraphiée (à la main).

SCRIPT-GIRL

Le réalisateur comptait sur sa SCRIPTE *pour assurer la continuité de l'émission.*

❍ Secrétaire de plateau, RECOMM. OFFIC. scripte.

SCROLLER, SCROLLING

La barre de DÉFILEMENT *permet de se déplacer dans le document.*

⇨ INFORMATIQUE.

❍ Défiler, défilement.

SEASIDE RESORT

Une STATION BALNÉAIRE *réputée.*

❍ Station balnéaire.

SÉLECT

L'assistance était très ÉLÉGANTE. *Un dîner* CHIC. *C'est l'un des peintres les plus* DISTINGUÉS *du siècle. Société* CHOISIE. – *Un cercle de golf très* ÉLITISTE.

❍ Élégant, chic, distingué, choisi – élitiste, pour privilégiés, mandarinal.

SELF-

⇨ Soi-même.

❍ Auto-.

SELF-CONTROL

Perdre sa MAÎTRISE. *Conserver son* SANG-FROID. *Retrouver son* CALME. *Avoir de l'*EMPIRE SUR SOI-

MÊME. *L'*IMPASSIBILITÉ *d'un diplomate. Sa* PLACIDITÉ *naturelle calmait les plus excités.*
❍ Maîtrise (de soi), sang-froid, calme, empire sur soi-même, impassibilité, imperturbabilité, placidité.

SELF-DEFENSE
*Prendre des cours d'*AUTODÉFENSE.
❍ Autodéfense.

SELF-MADE-MAN
Il S'EST FAIT LUI-MÊME. *Il a* RÉUSSI PAR SES PROPRES MOYENS. *Il s'est* PORTÉ LUI-MÊME AU PLUS HAUT. – *C'est aujourd'hui un* HOMME ARRIVÉ.
⇨ *Autodidacte* : « qui s'est instruit lui-même ».
❍ Se faire soi-même, réussir par ses propres moyens, se porter soi-même au plus haut – homme arrivé, nouveau riche, parvenu – autodidacte.

SELF-SERVICE
Restaurant en LIBRE-SERVICE.
❍ Libre-service.

SENSEUR
Véhicule de reconnaissance équipé de TÉLÉDÉTECTEURS. – *Un* CAPTEUR *de température.*
❍ Télédétecteur – capteur.

SENSIBLE
⇨ GLISSEMENT DE SENS. Des informations ne peuvent pas être *sensibles* mais *confidentielles*. Un dossier

social n'est pas *sensible* mais *délicat*, *difficile* ou *épineux*.
Informations ~~SENSIBLES~~ *: informations* CONFIDENTIELLES. *Sujet* ~~SENSIBLE~~ *: sujet* ÉPINEUX.

SET

1 – *Un* SERVICE *de table. Un* ENSEMBLE *décoratif. Une* PARURE *de lit. Un* JEU *de tournevis.*

⇨ À l'origine, un *set* désigne l'ensemble des napperons d'un service de table.

❍ Service, ensemble, parure, jeu, assortiment, lot.

2 – *Gagner la première* MANCHE. *Une partie de tennis au meilleur des trois* MANCHES. *Trois balles de première* MANCHE.

⇨ TENNIS.

❍ Manche.

SETUP

Avez-vous vérifié si votre ordinateur est bien CONFIGURÉ *? L'*INSTALLATION *du programme sur votre disque dur prendra quelques minutes.*

⇨ INFORMATIQUE.

❍ Configuration, installation, paramétrage.

SÉVÈRE

⇨ GLISSEMENT DE SENS. L'emploi de *sévère* au sens de « grave, lourd, important » est un anglicisme.
Des pertes ~~SÉVÈRES~~ *: de* LOURDES *pertes.*

SÉVÉRITÉ

⇨ GLISSEMENT DE SENS. L'emploi de *sévérité* au sens de « gravité » est un anglicisme.

La ~~SÉVÉRITÉ~~ *d'une maladie : la* GRAVITÉ *d'une maladie.*

SEX-APPEAL

Elle possède un grand CHARME SENSUEL. *« Une* SÉDUCTION *puissante s'exhalait de cette jeune fille »* (Joseph Gobineau).

❍ Charme sensuel, séduction, attrait sexuel, appas – sculptural.

SEX ORIENTED

Il est très PORTÉ SUR LA BAGATELLE.

❍ Porté sur le sexe (sur la chose, sur la bagatelle).

SEX-SHOP

Acheter un godemiché dans une BOUTIQUE PORNOGRAPHIQUE.

❍ Boutique pornographique, boutique friponne.

SEX-SYMBOL

Marilyn Monroe, IDÉAL ÉROTIQUE *des années cinquante. Cette fille est un véritable* FANTASME VIVANT. *Hollywood sait comment fabriquer les* MYTHES ÉROTIQUES.

❍ Idéal érotique, idole érotique, fantasme vivant, archétype du désir, mythe érotique.

SEXY

Femme SÉDUISANTE. *Un déshabillé* AFFRIOLANT. *Une tenue* ÉROTIQUE. *Une voix* SENSUELLE. *Ce garçon est assez* EXCITANT. *Un regard* TROUBLANT. *Une danse* VOLUPTUEUSE.

❍ Séduisant, affriolant, aguichant, troublant, craquant, émoustillant, excitant, provocant, érotique, sensuel, désirable, attirant, charmant, ravissant, beau, voluptueux.

SHAKE-HAND

Échanger une POIGNÉE DE MAIN.

❍ Poignée de main.

SHAKER

Préparer une boisson glacée dans un FLACON BRASSEUR *ou à l'*AGITE-BOISSON.

❍ PROP. [flacon brasseur, agite-boisson], secoueur.

SHAREWARE

Distribuer un LOGICIEL EN LIBRE ESSAI.

⇨ INFORMATIQUE. Un *logiciel en libre essai* est distribué à titre gratuit. Il peut être évalué librement. Au-delà d'une période normale d'essai, l'utilisateur doit volontairement s'acquitter d'une contribution, préalablement définie, auprès de l'auteur.

❍ Logiciel en libre essai, logiciel contributif ou à contribution volontaire.

SHERRY

Un verre de XÉRÈS.

⇨ Ne pas confondre avec *cherry*, qui désigne la liqueur de cerise

○ Xérès.

SHOCKING

Des propos CHOQUANTS. *Recevoir quelqu'un dans une tenue* INCONVENANTE. *Remarque* MALSÉANTE.

○ Choquant, inconvenant, malséant, déplacé, incongru, inopportun, indécent, trivial.

SHOOT

Un DÉGAGEMENT *puissant du gardien.*

⇨ FOOTBALL.

○ Tir, dégagement.

SHOOTER

1 – DÉGAGER *en touche.*

⇨ FOOTBALL.

○ Tirer, botter, dégager.

2 – SE PIQUER *à l'héroïne. Il* SE DOPE *à la bière.*

○ Se piquer, se doper, s'injecter.

SHOPPING

CHALANDAGE *à Londres. Faire ses* EMPLETTES *à Paris.*

○ RECOMM. OFFIC. chalandage, emplettes, faire les boutiques (les courses, les vitrines, les magasins), lèche-vitrine.

SHOPPING-CENTER

Faire ses courses dans un CENTRE COMMERCIAL.

❍ Centre commercial, galerie marchande, grand magasin, complexe commercial.

SHORT

Une CULOTTE COURTE *pour le tennis.*

❍ Culotte courte, flottant.

SHOW

SPECTACLE *télévisé.* REPRÉSENTATION *de gala. Un* DÉFILÉ *de mode.* NUMÉRO *de cirque. Les* ATTRACTIONS *d'une boîte de nuit. La* REVUE *du 14-Juillet.*

❍ Spectacle, représentation, exhibition, divertissement, présentation, défilé, numéro, attraction, féerie, comédie, parade, revue.

SHOW-BUSINESS, SHOWBIZ

*L'*INDUSTRIE DU SPECTACLE *est souvent cruelle. Tout le* MONDE DU SPECTACLE *est à Cannes.*

❍ Industrie (métier, monde, commerce) du spectacle.

SHOW-OFF

Une décoration un peu TAPE-À-L'ŒIL. *Dépenser son argent pour le* PARAÎTRE *et la* FRIME. *Elle aime ce qui est* TAPAGEUR. *Une toilette* VOYANTE. *Tout* POUR LA GALERIE.

❍ Tape-à-l'œil, paraître, frime, tapageur, voyant, pour la galerie.

SHOW-ROOM

Le LOCAL DE DÉMONSTRATION *d'un grand constructeur informatique. Une cuisine* D'EXPOSITION.

❍ Local de démonstration, salle (salon, vitrine) d'exposition, espace d'exposition.

SHUTTLE

Prendre la NAVETTE *qui relie la France à l'Angleterre.*

❍ Navette.

SIDE-CAR

Une course de TRICYCLES ANGLAIS.

❍ PROP. [tricycle anglais].

SINGLE

1 – *Louer un* INDIVIDUEL *dans le train pour Nice.*

❍ RECOMM. OFFIC. individuel, chambre ou cabine individuelle.

2 – *Le poste de radio diffusait le dernier* TITRE *d'un chanteur.*

⇨ Un *single* est un disque ne possédant qu'un seul morceau par face.

❍ Titre, chanson, disque compact deux titres.

SITCOM

L'heure des COMÉDIES TÉLÉVISÉES.

❍ Comédie télévisée.

SIT-IN

Les étudiants ont organisé une MANIFESTATION ASSISE *devant le rectorat.*

○ Manifestation assise, contestation assise, rassemblement, attroupement.

SKATE-BOARD

Un fou de PLANCHE À ROULETTES.

○ Planche à roulettes.

SKATING

Un adepte du PATINAGE *sur goudron.*

⇨ Le *patinage* consiste en l'activité de patiner, que ce soit avec des patins à glace ou des patins à roulettes.

○ Patinage.

SKETCH

Une SAYNÈTE *amusante. Jouer une* PANTOMIME.

○ Saynète, pantomime, comédie.

SKI-BOB

Faire du VÉLOSKI.

○ Véloski.

SKIMMING

Le PRIX D'ÉCRÉMAGE *vise délibérément la clientèle fortunée.*

⇨ FINANCE.

○ Prix d'écrémage.

SKINHEAD

Une bande de CRÂNES RASÉS.

○ Crâne rasé.

SKIPPER

Louer un voilier et son BARREUR.

❍ Navigateur, barreur.

SLASH

Une partie de son numéro de compte bancaire est isolée par une BARRE OBLIQUE.

⇨ « \ » est une barre oblique inverse.

❍ Barre oblique (« / »).

SLICE

Le revers COUPÉ *est son point faible.*

⇨ TENNIS.

❍ Coupé.

SLICER

Il COUPE *la balle en revers chaque fois qu'il monte au filet.*

⇨ TENNIS.

❍ Couper.

SLIP

Être en PETITE CULOTTE *et en soutien-gorge.*

⇨ La *culotte* est plus ample que le *slip,* c'est-à-dire la *petite culotte.*

❍ Culotte, petite culotte.

SLOT

Une carte graphique est installée dans le CONNECTEUR D'EXTENSION *de l'ordinateur pour améliorer ses performances.*

⇨ INFORMATIQUE.
❍ Connecteur d'extension, logement, créneau, rail.

SMART
Une tenue très CHIC. *Un jeune homme très* MIGNON. *Des gens* CHARMANTS.
❍ Chic, mignon, charmant, élégant, gracieux, séduisant.

SMASH
*L'*ÉCRASÉ *est son meilleur coup.*
⇨ SPORT. Pour les puristes : écrasé, rabat, rabattement, fouetté, interception.

SMASHER
Il a puissamment ÉCRASÉ *la balle.*
⇨ SPORT. Pour les puristes : rabattre, écraser.

SMOG
Un BROUILLARD INDUSTRIEL *empestait les faubourgs populeux de Londres. Paris connaît désormais les désagréments des* MIASMES INDUSTRIELS. *Se prémunir contre les* BROUILLARDS TOXIQUES.
❍ Brouillard industriel, miasme industriel, brouillard toxique.

SMOKING
TENUE DE GALA *obligatoire. Être habillé d'un* CORNEILLE.

⇨ *Smoking* est du franglais que l'on peut aisément remplacer par : *tenue de gala, habit de soirée, costume de cérémonie*. On pourrait également appeler ce costume *corneille*, par analogie avec cet oiseau au plumage noir dont certains reflets rapellent le revers du *smoking*. La référence au plumage d'un oiseau s'exerce déjà dans *queue-de-pie*.
⇨ Les Anglais parlent de *dinner jacket*, les Américains de *tuxedo*.
○ Tenue de gala, habit de soirée, costume de cérémonie, PROP. [corneille], queue-de-pie.

SNACK
Servir des BISCUITS SALÉS *en guise d'apéritif.*
○ Biscuit salé, amuse-bouche, collation.

SNACK-BAR
Manger un jambon-beurre dans un CAFÉ-RESTAURANT.
○ Café-restaurant, buvette, cafétéria, PROP. [croque-en-route], casse-croûte (Québec), mâchon (Lyon).

SNIFFER
PRISER *un stupéfiant.*
○ Priser, inhaler.

SNIPER
Les meurtres anonymes des TIREURS ISOLÉS.
○ Tireur isolé ou embusqué.

SNOB

Une petite MONDAINE. *Elle est considérée comme une* FAUSSE MONDAINE. *Un* M'AS-TU-VU. *Quel* FAT *! C'est un* POSEUR. – « *Une vieille demoiselle, un peu* GUINDÉE, *vieux jeu* » (Françoise Mallet-Joris). *Trop* APPRÊTÉ *dans son comportement. Un milieu* HUPPÉ. *Un air* COMPASSÉ. *Un ton* CÉRÉMONIEUX.

❍ Mondain, faux mondain, petit-bourgeois, m'as-tu-vu, fat, poseur, anglomane – guindé, apprêté, huppé, compassé, affecté, cérémonieux, protocolaire.

SNOBER

Il les TRAITE DE HAUT. *Elle m'*IGNORE *superbement.*

❍ Traiter de haut, dédaigner, ignorer.

SNOBISME

Aimer un peintre par AFFECTATION. *Le* MANIÉRISME *mondain.* « *Elle reste au contraire parfaitement naturelle, dénuée de la moindre* POSE » (Henry de Montherlant).

❍ Affectation, maniérisme, pose – affèterie, préciosité.

SNOWBOARD

Faire du MONOSKI.

⇨ SPORT.

❍ Monoski.

SNOW-BOOT

Des BOTTES POUR LA NEIGE *sont indispensables. Enfiler des* APRÈS-SKIS.

❍ Botte pour la neige, bottine de ski, après-ski – sur-chaussure, couvre-chaussure (Québec).

SOAP-OPERA

Une SÉRIE TÉLÉVISÉE *américaine.*

⇨ Le *soap-opera* est à destination d'un large public.

❍ Feuilleton ou série télévisé, série américaine, téléroman.

SODA

Un verre de LIMONADE. – *Un whisky coupé d'*EAU DE SELTZ.

❍ Limonade, orangeade, citronnade, diabolo, apéritif sans alcool – eau gazeuse, eau de Seltz.

SOFT

1 – *Un* LOGICIEL *performant.*

⇨ INFORMATIQUE.

❍ Logiciel.

2 – *Distinguons les films* ÉROTIQUES *des films pornographiques. Cliché* SUGGESTIF. *Photo* DE CHARME. *Dans les* LIMITES DE LA PUDEUR. *Un film* POUR PUBLIC AVERTI.

❍ Érotique, suggestif, de charme, limite de la pudeur, pour public averti.

SOFTWARE

Un LOGICIEL *de traitement de texte. – Un ingénieur* INFORMATICIEN.

⇨ INFORMATIQUE.

❍ RECOMM. OFFIC. logiciel – informaticien.

SOPHISTIQUÉ

⇨ GLISSEMENT DE SENS. À l'origine, ce mot a une connotation péjorative (« alambiqué, maniéré, affecté, frelaté »). Il tend, sous l'influence de l'anglais, à se substituer à tort à des mots bien français comme *perfectionné, élaboré, complexe.*

Une arme ~~SOPHISTIQUÉE~~ *: une arme* PERFECTIONNÉE. *Un mécanisme* ~~SOPHISTIQUÉ~~ *: un mécanisme* COMPLEXE *ou très* ÉLABORÉ.

SPARRING-PARTNER

Être le PARTENAIRE D'ENTRAÎNEMENT *d'un champion.*

⇨ SPORT.

❍ Partenaire d'entraînement.

SPEAKER

ANNONCEUR *de la radio. La* PRÉSENTATRICE *vedette du journal télévisé.*

❍ Annonceur, présentateur, animateur, commentateur (et leurs féminins), porte-parole, rapporteur, orateur.

SPEECH

Prononcer une brève ALLOCUTION. *Les* COMMUNICATIONS *d'un colloque. Un* MESSAGE *de notre président.* ÉLOGE *académique.*

⇨ Le *speech* est généralement court.

❍ Allocution, communication, message, discours, déclaration, éloge, annonce, conférence, exposé.

SPEEDÉ

Il est complètement SUREXCITÉ. *Un entrepreneur* HYPERACTIF. *Les esprits étaient* SURVOLTÉS.

⇨ Existe aussi en tant que verbe et peut se remplacer par *se hâter*, *se dépêcher*, *foncer*, *donner un coup de collier*, etc.

❍ Surexcité, hyperactif, survolté, agité, exalté.

SPEED-SAIL

Les plages normandes se prêtent à la pratique du CHAR À VOILE.

❍ Char à voile.

SPLEEN

Sombrer dans la MÉLANCOLIE. *Avoir du* VAGUE À L'ÂME. *Un coup de* CAFARD. *Avoir la* NOSTALGIE *de sa jeunesse. Un* MAL-ÊTRE *existentiel. « Quelle est cette* LANGUEUR / *Qui pénètre mon cœur ? »* (Paul Verlaine). *Secouer son* APATHIE. DÉPRESSION *nerveuse.*

❍ Mélancolie, vague à l'âme, cafard, nostalgie, mal-être, chagrin, langueur, ennui, apathie, abattement, dépression, tristesse, tædium vitæ.

SPOILER

Voiture de sport équipée d'un DÉFLECTEUR AÉRODYNAMIQUE *et de* BÉQUETS.

❍ Déflecteur aérodynamique, béquet, jupe, aileron, volet.

SPONSOR

Être le MÉCÈNE *d'un artiste. Le* PARRAINEUR *d'une manifestation sportive. Je vous présente mon* BIENFAITEUR. *Généreux* DONATEUR. *« M. Turgot est le* PROTECTEUR *de tous les arts, et il l'est en connaissance de cause »* (Voltaire).

❍ Mécène, RECOMM. OFFIC. parraineur, RECOMM OFFIC. parrain, marraine, bienfaiteur, contributeur, donateur, protecteur – RECOMM. OFFIC. commanditaire.

SPONSORING, SPONSORISATION

Une course placée sous le PATRONAGE *de la Croix-Rouge française.* MÉCÉNAT *d'entreprise. Le* PARRAINAGE *d'un voilier par une compagnie d'assurances.*

⇨ Le *patronage* apporte un soutien moral plutôt qu'un financement.

❍ Mécénat, parrainage, patronage, sous l'égide de.

SPONSORISER

PARRAINER *une exposition d'aquarelles.* SOUTENIR *financièrement un écrivain.* PATRONNER *une candidature à l'Académie française.*

○ RECOMM. OFFIC. parrainer, RECOMM. OFFIC. commanditer, soutenir, financer, patronner.

SPORTSWEAR

Présentation de la nouvelle LIGNE D'HABITS POUR LE SPORT.

○ Ligne (d'habits) pour le sport, gamme sportive, vêtement de sport.

SPOT

1 – *La lumière des* PROJECTEURS *du photographe. Une* LAMPE-PINCEAU *mettait en valeur un tableau. Le* SCIAIYTIQUE *du fauteuil dentaire. – La* TRACE *de l'oscilloscope.*

⇨ Les rayons lumineux du *projecteur* sont « projetés » en un faisceau peu divergent. Lorsque le faisceau est étroit, il y a lieu de parler de *lampe-pinceau.* Rappelons qu'un pinceau est, depuis 1691, un faisceau de lumière circonscrit émis par une source ponctuelle.

○ Projecteur (directif ou ponctuel), PROP. [lampe-pinceau, lampe-faisceau], scialytique – repère, trace, balayage.

2 – *Crédit* PONCTUEL. *Un marché* AU COMPTANT.

⇨ FINANCE.

❍ Ponctuel, à court terme, au comptant, au coup par coup, sur-le-champ, exceptionnel.

SPOT PUBLICITAIRE

Et maintenant une PAGE DE PUBLICITÉ *!*

❍ RECOMM. OFFIC. message publicitaire, page de publicité, passage ou annonce publicitaire, accroche publicitaire.

SPOT TÉLÉVISÉ

Un COURT MÉTRAGE *destiné à informer le public sur les dangers du sida.*

❍ Court métrage, accroche télévisuelle.

SPRAY

Une BOMBE *d'insecticide. Un* ATOMISEUR *à parfum. Se rafraîchir le visage à l'aide d'un* BRUMISATEUR *d'eau thermale. Un* AÉROSOL *de laque pour les cheveux. Un* FIXATIF *de création pour la chevelure. – La pièce est assainie à l'aide d'essences naturelles vaporisées par un* NÉBULISEUR. PULVÉRISATEUR *de peinture.*

⇨ *Brumisateur* est une marque déposée.

❍ Bombe, atomiseur, Brumisateur, aérosol, fixatif – vaporisateur, nébuliseur, pulvérisateur.

SPREADSHEET

Le TABLEUR *est l'outil informatique principal des comptables.*

⇨ INFORMATIQUE.

❍ Tableur.

SPRINT

Pousser une POINTE. *Battre son adversaire lors de l'*ACCÉLÉRATION FINALE.

⇨ SPORT.

❍ Pointe (de vitesse), accélération (finale), dernière ligne droite.

SPRINTER

POUSSER UNE POINTE *pour distancer ses concurrents.*

⇨ SPORT.

❍ Pousser une pointe, accélérer.

SPRINTEUR

C'est un SPÉCIALISTE DE L'ACCÉLÉRATION, *mais il n'est pas mauvais grimpeur.*

⇨ SPORT.

❍ Spécialiste de l'accélération.

SQUAT

*L'*OCCUPATION SAUVAGE *d'un immeuble inhabité. – Il vit dans une* MAISON ABANDONNÉE.

❍ Occupation sauvage ou illégale – logement abandonné ou inoccupé.

SQUATTER

Ils ont OCCUPÉ ILLÉGALEMENT *un immeuble du centre de Paris.*

❍ Habiter ou occuper illégalement.

SQUATTEUR

Expulser manu militari un LOCATAIRE SAUVAGE.

❍ Locataire sauvage, occupant illégal.

STAFF

*Réunir l'*ÉQUIPE. *Une réunion de travail du* SERVICE *de gynécologie. L'*ENCADREMENT *est insuffisant. L'*ÉTAT-MAJOR *d'un parti.*

⇨ Le *staff meeting* est une réunion de travail d'un service quelconque.

❍ Équipe, service, encadrement, état-major, personnel, effectif.

STAND

*L'*ESPACE D'EXPOSITION *d'un grand éditeur à la Foire du livre. Le* COIN *bricolage d'un grand magasin. Une nouvelle génération d'ordinateurs est présentée au* CARRÉ *Compaq du Salon de l'informatique. – Le* PAVILLON *français à l'Exposition universelle. – « De temps à autre, il s'arrêtait à l'*ÉTALAGE *d'un bouquiniste »* (Gustave Flaubert). *L'*ÉTAL *du vendeur de miel. Le* RAYON *frais d'un grand magasin. – S'arrêter au* POSTE DE RAVITAILLEMENT.

❍ Espace d'exposition, coin, carré, périmètre, emplacement, point de vente – pavillon, tente, kiosque, échoppe – présentoir, étalage, étal, comptoir, tréteau, rayon, éventaire – poste de ravitaillement (de secours).

STANDARDISER

NORMALISER *la taille d'un emballage.* UNIFORMISER *les taxes fiscales européennes.*

⇨ Pour les puristes : normaliser, uniformiser, mettre aux normes.

STAND-BY

Les passagers EN ATTENTE D'ENREGISTREMENT *côtoyaient dans la salle d'embarquement ceux qui avaient payé le plein tarif. Mettre quelqu'un* EN ATTENTE. *Billet* NON PRIORITAIRE.

○ En attente d'enregistrement (ou de disponibilité, ou de désistement), liste d'attente, en attente, non prioritaire.

STANDING

1 – *Un homme de sa* CLASSE *ne s'occupe pas de cela. Le* RANG SOCIAL *est pris en compte. Une personne de* HAUT RANG *ou de* HAUTE VOLÉE. *Épouser quelqu'un de sa* CONDITION. *Améliorer sa* POSITION SOCIALE. *Le* NIVEAU DE VIE *monte.*

○ Classe, rang social, haut rang ou haute volée, condition, position sociale et économique, niveau de vie.

2 – *Un appartement de* GRANDE CLASSE. *Hôtel* HORS

CLASSE. *Villa de* GRAND CONFORT. *Prestations de* QUALITÉ. *Immeuble de* PRESTIGE. *Articles de* LUXE. *Un village de toile* HAUT DE GAMME.
❍ Classe (ou grande classe, ou hors classe), grand confort, qualité, prestige, luxe, haut de gamme.

STAR, SUPERSTAR

Une VEDETTE *du football. Toutes les* CÉLÉBRITÉS *sont présentes au Festival de Cannes. Un* ARTISTE *de renom. Un* CHAMPION *de tennis. Danseur* ÉTOILE. *L'*ÉTOILE MONTANTE *du tennis professionnel. Artiste* EN VUE. *La nouvelle* IDOLE *des jeunes. Les* MONSTRES SACRÉS *du cinéma français. C'est le produit* PHARE *de la rentrée.*
⇨ Les *géants de la route* sont les champions cyclistes.
❍ Vedette, célébrité, artiste, champion, étoile, en vue, idole, monstre sacré, géant de la route, figure, phare.

STARLETTE

Il y a deux ans, elle n'était encore qu'une ÉTOILE MONTANTE. *Toutes croient être des* VEDETTES EN DEVENIR. *Une* CÉPHÉIDE *se faisait photographier sur la plage. La plastique irréprochable d'une* JEUNE ACTRICE.
⇨ Une *céphéide* est une étoile instable dont la période de pulsation est de quelques jours. On pour-

rait dès lors utiliser ce nom au figuré pour remplacer l'anglicisme *starlette*.
○ Étoile montante, vedette en devenir, vedette d'un jour, céphéide, jeune actrice.

STAR-SYSTEM
Toute la production cinématographique américaine repose sur le CULTE DE LA VEDETTE *bien plus que sur l'art. Le* VEDETTARIAT *possède un formidable pouvoir de fascination.*
○ Culte de la vedette, vedettariat.

STARTER
1 – DÉMARREUR *automatique.*
○ Démarreur, enrichisseur.
2 – *Les coureurs sont sous les ordres du* JUGE AU DÉPART. *Le gymnaste est aidé dans son effort par l'*ÉLANCEUR.
⇨ SPORT. Le *starter* est la personne qui donne le signal de départ ou qui aide un sportif au départ.
○ Juge au départ (Québec), PROP. [élanceur].

STARTING-BLOCK
Placer ses pieds dans les CALES DE DÉPART.
⇨ SPORT.
○ Cale de départ, RECOMM. OFFIC. bloc de départ, butoir.

START-UP

Récolter des fonds pour la création d'une JEUNE POUSSE. *Financer une* CRÉATION D'AFFAIRE. *Les* COMPAGNIES ÉMERGENTES *du domaine informatique connaissent un développement éclair.*

○ RECOMM. OFFIC. jeune pousse, compagnie émergente, jeune entreprise, affaire en création, création d'affaire.

STATION-SERVICE

Une STATION D'ESSENCE *jouxte une station de taxis. Se ravitailler en carburant à un* POSTE À ESSENCE. *Augmentation du prix de l'essence à la* POMPE.

⇨ Pour les puristes : station d'essence, poste à essence, pompe (à essence), distributeur d'essence, aire de service.

STEAK

Acheter une TRANCHE DE BŒUF *chez son boucher. Manger une* GRILLADE *accompagnée de frites.* FILET DE BŒUF *aux champignons.* TRANCHE *de saumon* GRILLÉ. *Un* TARTARE *bien relevé.*

⇨ Pour l'heure, aucun équivalent français recouvrant toutes les acceptions de *steak* n'a été défini. Néanmoins, il est conseillé de le remplacer lorsque cela est possible.

○ Tranche de bœuf, grillade, carbonade, tartare – aiguillette, bavette d'aloyau, contre-filet, côte de bœuf, entrecôte, faux-filet, filet, noix de bœuf, romsteck, tournedos.

STEALTH FIGHTER

Les BOMBARDIERS FURTIFS *américains ont rempli leur mission.*

⇨ Les *avions furtifs* ne sont pas des chasseurs mais des *bombardiers*.

❍ Bombardier furtif, avion furtif.

STEAMER

Les vieux BATEAUX À VAPEUR *du Mississippi.*

❍ Bateau à vapeur.

STEEPLE-CHASE

Ce cheval s'illustre dans les COURSES D'OBSTACLES.

⇨ HIPPISME.

❍ Course d'obstacles.

STEWARD

Le GARÇON DE CABINE *vérifiait nos ceintures de sécurité. De nombreux* GARÇONS DE CABINE *veillaient à rendre notre croisière des plus agréables. – Un* STADIAIRE *nous a indiqué où se trouvait notre tribune.*

⇨ Le *garçon de cabine* est chargé du service des passagers tant sur les navires de croisière qu'en avion. *Stadiaire* est un terme officiel de la Commission de la jeunesse et des sports pour désigner les agents

exerçant les fonctions d'accueil, d'assistance, de contrôle et de sécurité auprès du public d'un stade.
○ Garçon de cabine, garçon de service, personnel navigant, préposé aux passagers – stadiaire.

STICK
Un BÂTON *de colle. Un* BÂTONNET *de poisson surgelé.*
○ Bâton, bâtonnet.

STOCK
Les RÉSERVES *sont épuisées. Être en rupture d'*APPROVISIONNEMENT. *Faire des* PROVISIONS *de mazout pour l'hiver. – Je vais voir à la* RÉSERVE. *Avoir un article en* MAGASIN.
⇨ Pour les puristes : réserve, approvisionnement, provision – réserve, magasin, resserre, remise, dépôt, entrepôt, hangar.

STOCK-CAR
Une vingtaine de voitures prenaient part à une COURSE BÉLIER. *Transformer un véhicule d'occasion en* VOITURE BÉLIER.
⇨ SPORT.
○ PROP. [course bélier, voiture bélier].

STOCKER
Il faut RÉSERVER *la pâtisserie au froid.* ENTREPOSER *des marchandises.*
⇨ Pour les puristes : mettre en réserve, réserver,

remiser, entreposer, emmagasiner, engranger, accumuler, faire des réserves, amasser, empiler.

STOCK EXCHANGE

La BOURSE *de Wall Street est fébrile. Il est opérateur à la* BOURSE *de Toronto.*

⇨ FINANCE.

❍ Bourse.

STOCK HOLDER

Les ACTIONNAIRES *touchent parfois des dividendes.*

⇨ FINANCE.

❍ Actionnaire, détenteur de titre.

STOCK-OPTION

*La direction a bénéficié d'*OPTIONS SUR TITRES *à un prix très avantageux.*

⇨ FINANCE.

❍ RECOMM. OFFIC. option sur titres.

STOP-OVER

Le billet d'avion Luxembourg-San Francisco via *Reykjavík et Chicago n'autorisait aucune* ESCALE PROLONGÉE *dans ces villes étapes.*

❍ Escale prolongée.

STORY-BOARD

Le producteur voulait étudier une nouvelle fois le SCÉNARIMAGE.

○ RECOMM. OFFIC. scénarimage, maquette préparatoire.

STRESS

Le SURMENAGE *de la vie moderne. La* TENSION NERVEUSE *se lit sur son visage. Combattre la* FATIGUE NERVEUSE. *Être sous* PRESSION. – *Son* AGITATION *augmentait avec l'attente. Les* AGRESSIONS *de la vie moderne.* – *Oublier ses* ANGOISSES. *L'*APPRÉHENSION *d'échouer. Être en proie à l'*ANXIÉTÉ. *Les* TRACAS *quotidiens.*

○ Surmenage, tension ou fatigue nerveuse, pression, mal-vivre, mal-être – fébrilité, agitation, énervement, agression – angoisse, appréhension, anxiété, tracas, souci, préoccupation.

STRESSANT

Un mode de vie TRÉPIDANT. *Un métier* ÉPUISANT. *Une journée* FATIGANTE. – *Se retrouver devant un ordinateur sans n'y rien comprendre est* AGAÇANT. *Il est* ÉNERVANT. – *Une situation* ANGOISSANTE. *Un problème* INQUIÉTANT.

○ Épuisant, fatigant, trépidant – perturbant, énervant, irritant, agaçant, exaspérant – angoissant, anxiogène, préoccupant, inquiétant.

STRESSÉ

Les achats de Noël m'ont ÉPUISÉE. – *Ses enfants ont le don de l'*ÉNERVER. *Je le trouve* TENDU. – ANXIEUX

à l'idée de se présenter au baccalauréat. Cette rencontre m'a PERTURBÉ. *Vie* TOURMENTÉE.
❍ Surmené, débordé, sous pression, épuisé, fatigué – énervé, fébrile, nerveux, tendu, crispé, être sur des charbons ardents – tracassé, soucieux, préoccupé, inquiet, anxieux, perturbé, tourmenté, agité, ébranlé, angoissé.

STRESSER
*Son travail l'*ÉPUISE. SURMENER *ses collaborateurs. Inutile de vous* AGITER. – *Vous m'*ÉNERVEZ *! Un rien l'*IRRITE. – *Ne vous* TOURMENTEZ *pas pour si peu. La peur de l'échec* TARAUDE *les esprits. Cette nouvelle m'a* ÉBRANLÉ. *Ne vous* TRACASSEZ *pas pour si peu. Ne vous* FAITES PAS DE MAUVAIS SANG, *tout se passera bien.*
❍ Épuiser, fatiguer, surmener, agiter – énerver, irriter, raidir, crisper – perturber, tourmenter, tarauder, ébranler, préoccuper, inquiéter, angoisser, tracasser, se faire du mauvais sang, se faire du souci.

STRETCHING
*Exercices d'*ÉTIREMENT.
❍ Étirement, gymnastique douce.

STRING
De plus en plus d'hommes et de femmes osent fréquenter les plages en FESSES-À-L'AIR. *Rares encore*

sont les hommes à porter des MAILLOTS-FICELLES *à la plage.*

⇨ *Culotte*, dont l'origine étymologique est *cul*, indique bien la destination de recouvrir le bas-ventre, et spécialement les fesses. Un *fesses-à-l'air* souligne que ces dernières sont découvertes, alors que les slips et les caleçons les recouvrent. *Cache-sexe* n'a pas été sanctionné par l'usage en raison de son caractère trop explicite et du fait que sa vocation de dévoiler en partie les fesses n'est pas mise en évidence. Néanmoins, ce terme a sa place pour désigner cette pièce de vêtement réduite au minimum et portée par les danseurs de spectacles licencieux. On distingue par *maillot-ficelle* la pièce de vêtement destinée à la baignade, construite sur le modèle de maillot de bain.

❍ PROP. [fesses-à-l'air] – culotte-ficelle, maillot-ficelle, cache-sexe, feuille de vigne.

STRIP-TEASE

*Un numéro d'*EFFEUILLAGE *particulièrement excitant.* – *Un* DÉBALLAGE *médiatique.*

❍ Effeuillage – déballage.

STRIP-TEASEUR

Cinq EFFEUILLEUSES *se partageaient la scène.*

❍ Effeuilleur.

SUCCESS STORY

Une RÉUSSITE *comme savent en produire les États-Unis. Le récit de son* PARCOURS *social enflamme l'imagination.*

❍ Réussite, parcours.

SUITE

⇨ GLISSEMENT DE SENS. *Suite* est un anglicisme inutile qu'*appartement* et *pièces en enfilade* traduisent à merveille.

La ~~SUITE~~ *22 avec terrasse : l'*APPARTEMENT *22 avec terrasse.*

SUITE LOGICIEL

Une OFFRE LOGICIEL *particulièrement complète.*

⇨ INFORMATIQUE. *Suite logiciel* est un calque servile de l'anglais qu'il n'est pas inutile d'éviter.

❍ Offre logiciel, solution logiciel, ensemble de logiciels, progiciel.

SUNDAE

Prendre une COUPE GLACÉE *pour deux.*

❍ Coupe glacée.

SUNLIGHT

Se trémousser sous les PROJECTEURS.

❍ Projecteur.

SUPER

C'est SUBLIME. FABULEUX *!*

❍ Sublime, fabuleux, bravo, admirable.

SUPER GLUE

Un bâton de COLLE INSTANTANÉE.

⇨ *Glu* s'écrit en français sans *e*. Ce mot est d'origine latine.

❍ Colle instantanée (ou forte), glu.

SUPERMAN

Quoi qu'on en dise, ce n'est pas un SURHOMME.

❍ Surhomme.

SUPERMARCHÉ

Faire ses courses dans un LIBRE-SERVICE. *Un nouveau* CENTRE COMMERCIAL *a ouvert ses portes. Acheter en* GRANDE SURFACE.

⇨ *Supermarché* est une francisation de *supermarket*.

❍ Libre-service, grande surface, centre commercial, grand magasin – grande distribution.

SUPERTANKER

Le naufrage d'un PÉTROLIER GÉANT.

❍ Pétrolier géant.

SUPERVISER

SURVEILLER *de près le transbordement.* CONTRÔLER *les comptes.* S'ASSURER *du bon fonctionnement d'une machine.* – DIRIGER *la manœuvre.* COORDONNER *les travaux.* ORCHESTRER *une campagne de presse.* PRENDRE LA RESPONSABILITÉ *d'un projet.*

❍ Surveiller, contrôler, s'assurer, passer en revue, vérifier, inspecter, examiner, survoler – diriger, coordonner, orchestrer, prendre la responsabilité, organiser, administrer, animer, gérer, guider, garder mainmise.

SUPERVISEUR

Monsieur le SURVEILLANT GÉNÉRAL. *Le* DIRECTEUR DU TOURNOI *de Roland-Garros était préoccupé par la météo. Le* RÉGISSEUR *du domaine.*

⇨ L'équivalent français est souvent spécifique au domaine concerné.

❍ Gérant, organisateur, surveillant (général), contrôleur (des finances, des contributions, de la navigation aérienne, etc.), comité d'éthique, commissaire aux comptes, directeur du tournoi, chargé de chantier, contremaître, régisseur, intendant, responsable.

SUPERVISION

SURVEILLANCE *des travaux.* VÉRIFICATION *de routine.* INSPECTION *générale des locaux.* CONTRÔLE *de l'espace aérien.*

❍ Surveillance, vérification, inspection, contrôle, examen.

SUPERWOMAN

C'est une MAÎTRESSE FEMME. *Il est bien difficile de diriger une* FEMME DE TÊTE.

❍ Maîtresse femme, femme de tête, femme de caractère.

SUPPORTER, SUPPORTEUR

⇨ GLISSEMENT DE SENS. On ne *supporte* pas un homme ou une équipe, mais on l'*encourage* ou on le *soutient*. Continuer à utiliser l'acception fautive revient à devoir dire : « *Je supporte cette équipe et en ma qualité de directeur sportif je dois supporter ses défaites* », ce qui laissera plus d'un locuteur perplexe.

~~SUPPORTER~~ *un candidat :* SOUTENIR *un candidat. Les* ~~SUPPORTEURS~~ *d'une équipe : les* ADMIRATEURS *ou les* PARTISANS *d'une équipe.*

SURBOOKING, OVERBOOKING

La SURRÉSERVATION *ne sert pas la clientèle.*

❍ RECOMM. OFFIC. surréservation, réservation en surnombre.

SURF

1 – *Faire de la* PLANCHE. *Aimer la* GLISSE. – *Faire du* MONOSKI.

⇨ SPORT.

❍ Planche, glisse – monoski.

2 – *Une* BALADE VIRTUELLE *pour une fois très fructueuse.*

⇨ INFORMATIQUE.

○ Balade virtuelle.

SURFER

1 – FAIRE DE LA PLANCHE.

⇨ SPORT.

○ Faire de la planche, glisser, chevaucher.

2 – NAVIGUER *sur le réseau à la recherche d'informations ou pour tuer le temps.* VOGUER *sur l'Internet.* BUTINER *sur le réseau. Il profite du tarif heures creuses pour* VAQUER *sur le réseau.*

⇨ INFORMATIQUE.

○ Naviguer, voguer, survoler, butiner, vaquer, fouiner.

3 – *Il* LOUVOIE *en fonction des tendances.*

○ Louvoyer, profiter, s'adapter, tirer parti.

SURFEUR

1 – *Les* PLANCHISTES *des neiges.*

⇨ SPORT.

○ Planchiste, glisseur.

2 – *Les* INTERNAUTES *de toutes nationalités.*

⇨ INFORMATIQUE.

○ Internaute.

SUSPENSE

⇨ GLISSEMENT DE SENS. Mot anglais du français *suspens*, l'anglicisme *suspense* pourrait se remplacer par son équivalent français déjà présent dans la locution *en suspens.*

Film à ~~SUSPENSE~~ *: film à* SUSPENS.

SWAP

Accord de CRÉDIT CROISÉ *entre organismes financiers.*

⇨ FINANCE.

○ RECOMM. OFFIC. crédit croisé, échange (de créances), report.

SWEATER

Passer un CHANDAIL.

○ Chandail, pull, gilet à manches longues, coton ouaté (Québec), tricot.

SWEAT-SHIRT

Mouiller son MAILLOT.

⇨ Utilisé pour un loisir sportif.

○ Maillot, polo, chemisette de sport.

SWING

Travailler son BALANCÉ.

⇨ GOLF.

○ Balancé, mouvement.

TAG

Une façade souillée par des GRAFFITIS. *La porte du collège couverte d'*INSCRIPTIONS.

❍ Graffiti, inscription.

TAGUER

GRAFFITER *une palissade.* MACULER *une cabine téléphonique de graffitis.*

❍ Graffiter, dessiner, barbouiller, peinturlurer, maculer.

TAGUEUR

Surprendre un GRAFFEUR *en pleine action.*

❍ Graffeur, barbouilleur.

TAKE-OFF

Une région qui amorce son DÉMARRAGE *économique. L'industrie de la téléphonie est en plein* ESSOR.

❍ Démarrage, essor, RECOMM. OFFIC. décollage.

TALKIE-WALKIE

Le message était transmis par un POSTE ÉMETTEUR *de campagne.*

⇨ Il s'agit d'un *poste émetteur* portatif et non fixe.

❍ Poste émetteur, émetteur, émetteur-récepteur.

TALK-SHOW

Être l'invité d'une CAUSERIE *à la télévision.*

❍ Causerie, entretien télévisé, plateau-débat – débat, face-à-face.

TANK

La CITERNE *d'un navire.* CUVE *à mazout. – Un* CHAR D'ASSAUT *détruit par une roquette antichar.*

❍ Citerne, cuve, réservoir – char d'assaut, char de combat, blindé.

TANKER

Un NAVIRE-CITERNE *transportant du pétrole.*

❍ RECOMM. OFFIC. navire-citerne, bateau-citerne, pétrolier, méthanier, minéralier.

TARMAC

La VOIE DE CIRCULATION *encombrée d'avions de tourisme.*

❍ Voie de circulation (et de stationnement), chemin de roulement.

TASK-FORCE

Mettre sur pied un GROUPE DE TRAVAIL *chargé d'un dossier épineux. – Un* DÉTACHEMENT *de gendarmerie a délivré les otages.*

❍ Groupe de travail, groupe de projet, commission, comité – corps expéditionnaire, détachement (spécial), commando d'intervention, groupe de combat.

TAXI-GIRL

Des ENTRAÎNEUSES *pudiquement appelées hôtesses.*

❍ Entraîneuse, aguicheuse.

TAXIWAY

Il est interdit de décoller ou d'atterrir sur les VOIES DE CIRCULATION *de l'aéroport.*

❍ Voie de circulation (de roulement), piste de roulage.

TEAM

*L'*ÉQUIPE *Peugeot.*

❍ Équipe.

TEA ROOM

L'atmosphère feutrée d'un SALON DE THÉ.

❍ Salon de thé.

TEASER

Avoir recours à des AGUICHES.

❍ Aguiche, accroche.

TEASING

*L'*AGUICHAGE *est un procédé largement utilisé en publicité. Ne pas répondre aux* PROVOCATIONS *d'une entraîneuse.*

❍ Aguichage, provocation.

TEA TIME

*C'est l'*HEURE DU THÉ, *les enfants !*

❍ Heure du thé.

TEDDY-BEAR

L'enfant tenait fermement son OURS EN PELUCHE *entre ses petites mains.*

❍ Ours en peluche, nounours.

TEE

Placer sa balle de golf sur un REPOSOIR *avant de la frapper.*

⇨ GOLF.

❍ PROP. [reposoir], clou, cheville de golf.

TEEN-AGER

La mode suivie par les ADOLESCENTS.

❍ Adolescent, garçon, fille, les 13-19 ans, jeune.

TEE-SHIRT, T-SHIRT

Porter un pantalon de toile et un MANCHE-COURTE *en coton blanc orné d'un motif.*

⇨ Pourquoi ne pas remplacer *tee-shirt* tout simplement par le néologisme *manche-courte* qui décrit bien la coupe de ce vêtement de corps ? Il est également envisageable d'employer *sous-chemise*, construit sur le modèle de sous-vêtement.

○ PROP. [manche-courte, sous-chemise], maillot ou gaminet (Québec), camisole (Belgique), tricot de corps, finette (Suisse).

TÉLÉMARKETING

Une société spécialisée en TÉLÉMERCATIQUE *sur l'Internet.*

○ Télémercatique, démarchage ou prospection téléphonique, publipostage.

TÉLESCOPAGE

Un COLLISION EN CHAÎNE *sur l'autoroute. L'*EMBOUTISSAGE *d'une voiture par un camion militaire.*

⇨ Construit sur *télescope*, du latin moderne *telescopium* formé sur les éléments grecs *têle* et *skopos*, « voir de loin ». À l'origine, les télescopes étaient constitués de tubes emboîtables. Les Anglais, très friands de dérives de sens, ont galvaudé ce mot pour l'employer dans le sens d'« emboîtement ». Il est préférable d'éviter un tel contresens et de remplacer ce terme.

❍ Collision en chaîne, emboutissage, carambolage, choc, accrochage, accident.

TÉLESCOPER

Plusieurs voitures se sont EMBOUTIES.

⇨ Voir *télescopage*. *Télescoper* traduit l'idée d'enfoncement que ne possèdent ni *heurter* ni *percuter*.

❍ Emboutir, défoncer – heurter, percuter, tamponner.

TÉLESCOPIQUE

Canne à pêche À EMBOÎTEMENT. *Trépied qui* S'EMBOÎTE.

⇨ Voir *télescopage*.

❍ À emboîtement.

TÉLÉSHOPPING

Une émission de TÉLÉACHAT.

❍ Téléachat.

TENNIS-ELBOW

Contracter une SYNOVITE DU COUDE.

⇨ SPORT.

❍ Synovite du coude.

TENNISMAN

JOUEUR DE TENNIS *professionnel.*

⇨ TENNIS.

❍ Joueur de tennis.

THRILLER

Les FILMS À ANGOISSES *suggèrent plus qu'ils ne montrent, au contraire des* FILMS D'ÉPOUVANTE. *Il m'arrive de lire des* ROMANS NOIRS.

❍ PROP. [film ou roman à angoisses], film d'épouvante, roman noir.

TIE-BREAK

Remporter la manche au JEU DÉCISIF.

⇨ TENNIS.

❍ RECOMM. OFFIC. jeu décisif.

TILT

J'ai eu soudain un DÉCLIC.

❍ Déclic.

TIME IS MONEY

Et surtout n'oubliez pas que « LE TEMPS, C'EST DE L'ARGENT ! »

❍ « Le temps, c'est de l'argent. »

TIMER

Sonnerie d'un MINUTEUR *de four électrique.* MINUTERIE *de la cage d'escalier.* PROGRAMMATEUR *d'un lave-linge.*

⇨ Le *minuteur* programme une durée à l'issue de laquelle un signal se déclenche, une sonnerie par exemple. La *minuterie* assure un contact électrique pendant une durée déterminée. Le *programmateur* est encore plus élaboré.

❍ Minuteur, minuterie, programmateur.

TIME-SHARING

Appartement acheté en MULTIPROPRIÉTÉ.

○ Multipropriété, propriété en temps partagé.

TIME-SLOT

Un CRÉNEAU HORAIRE *alloué à une compagnie aérienne.*

⇨ AVIATION.

○ Créneau horaire.

TIMING

Respecter le CALENDRIER. *En avance sur l'*ÉCHÉANCIER *des travaux. Un* PROGRAMME *très serré. Un* EMPLOI DU TEMPS *chargé. – Le* MINUTAGE *est respecté. Avec un* SYNCHRONISME *parfait. Ils étaient en parfaite* SYNCHRONIE.

○ Calendrier, échéancier, programme, emploi du temps – minutage, réglage, synchronisme, synchronie, rythme, coïncidence des dates, simultanéité.

TIP TOP

C'est PARFAIT. *Une tenue* IMPECCABLE. *Plate-bande tirée* AU CORDEAU.

⇨ *Tip top* est un anglicisme surtout usité en Suisse.

○ Parfait, impeccable, irréprochable, au cordeau.

TOAST

1 – LEVER LE VERRE *pour la réussite d'un projet. Je* TRINQUE *à votre santé. Je* BOIS *à l'accomplissement de votre rêve.*

○ Lever le verre, trinquer ou boire (à la santé, en l'honneur, etc.).

2 – *Manger des tranches de* PAIN GRILLÉ *recouvertes d'une généreuse dose de confiture à l'orange. – Un* CANAPÉ *au saumon.*

⇨ *Toast* est souvent utilisé à tort à la place de *canapé* qui n'est pas grillé.

○ Pain grillé ou braisé, biscotte – canapé.

TOASTEUR

Un GRILLE-PAIN *reçu en cadeau d'anniversaire.*

○ Grille-pain.

TOFFEE

Des BONBONS CARAMÉLISÉS *anglais.*

○ Bonbon caramélisé.

TOP

C'est ce qu'il y a de MIEUX. *Le* FLEURON *de l'industrie française. – Il l'a vendu* AU PLUS HAUT. *Il est* AU SOMMET *de sa carrière. –* EXCELLENT *!* INOUÏ *! C'est* PRODIGIEUX *! – Un* HAUT *en coton blanc.*

○ Mieux, meilleur, fleuron, excellence, de premier ordre, de grand style, hors pair, sans égal – au plus haut, au sommet, au faîte, point d'orgue – excellent, inouï, prodigieux – haut.

TOPLESS

Vaquer SEINS NUS *à ses occupations. Un cabaret* SEINS NUS. *Elle bronze* TORSE NU. *Elle déambule* POITRINE AU VENT.

❍ Seins nus, nu-seins, torse nu, poitrine au vent.

TOP MODEL

MANNEQUIN VEDETTE *chez Chanel.*

❍ Mannequin vedette, mannequin de grand couturier, modèle international.

TOP NIVEAU

Rencontre AU SOMMET. *Athlète* DE HAUT NIVEAU. *Ce joueur est à l'*APOGÉE *de son art.* À LA POINTE *du progrès. Être* AU FAÎTE *des sondages. C'est la* PERFECTION *en la matière.*

❍ Au sommet, de haut niveau, supérieur, de premier ordre, de première force, apogée, à la pointe, à son meilleur, au faîte, perfection, nec plus ultra, numéro un, en tête.

TOP SECRET

Renseignements ULTRASECRETS.

❍ Ultrasecret, confidentiel.

TOP SPIN

⇨ TENNIS. Voir *lift*.

TOP TEN

Classé parmi les DIX PREMIERS.

❍ Dix premiers.

TOUR-OPÉRATEUR

Le meilleur VOYAGISTE *pour cette région reculée d'Afrique.*

❍ RECOMM. OFFIC. voyagiste.

TOWNSHIP

Les GHETTOS *d'Afrique du Sud.*

⇨ Terme spécifique à l'Afrique du Sud.

❍ Ghetto.

TRACK

Suivre la PISTE.

❍ Piste.

TRACKBALL

Certains ordinateurs portatifs disposent d'une BOULE DE COMMANDE *intégrée.*

⇨ INFORMATIQUE.

❍ Boule de commande.

TRADEMARK

Camping-gaz est une MARQUE DÉPOSÉE.

❍ Marque déposée.

TRADER

Un OPÉRATEUR BOURSIER *présent dans la salle des transactions.*

⇨ FINANCE.
❍ Opérateur boursier.

TRADE-SHOW

Se rendre à une EXPOSITION INTERPROFESSIONNELLE.
❍ Exposition ou rencontre interprofessionnelle.

TRAINING

1 – *Reprendre l'*ENTRAÎNEMENT. FORMATION CONTINUE *des cadres. Terminer sans encombre sa* PÉRIODE D'INSTRUCTION.
❍ Entraînement, formation continue, période d'instruction, session de recyclage – survêtement.
2 – *Passer un* SURVÊTEMENT.
❍ Survêtement.
3 – RELAXATION *autogène.*
❍ Relaxation.

TRAMWAY

Le TRAIN URBAIN *de Strasbourg sonne le retour de ce type de transport en France.*
❍ PROP. [train urbain], tramevet (Lyon).

TRASH

Une émission À SCANDALE *où les protagonistes déballent leur linge sale. – Une tenue* DÉBRAILLÉE, *complètement* NÉGLIGÉE. – *Un endroit* CRASSEUX *et* MITEUX. – *Sa voiture est une vraie* POUBELLE.

⇨ Ce terme est employé dans de nombreux contextes ; l'équivalent français le plus proche est *sale*.
O Scandale, vulgarité – débraillé, négligé, sale – crasseux, miteux – poubelle, dépotoir.

TRAVELLER'S CHEQUE
Échanger un CHÈQUE DE VOYAGE *contre de l'argent liquide.*
O Chèque de voyage.

TREKKING
Un voyagiste spécialisé dans l'organisation de GRANDES RANDONNÉES. *Préparer une* ÉQUIPÉE *pour le Népal.*
⇨ Les chemins et sentiers de *grande randonnée* sont indiqués par le sigle GR sur les cartes topographiques de l'Institut géographique national.
O Grande randonnée, équipée, expédition, périple.

TREND
C'est actuellement la TENDANCE. *La nouvelle* MODE *dans le monde économique.*
O Tendance, mode, courant.

TRUST
Un GROUPE *bancaire.* CONSORTIUM *pétrolier. – Une* SOCIÉTÉ FIDUCIAIRE.
⇨ FINANCE.

○ Groupe, consortium, cartel, groupement, syndicat, entente, multinationale – (société) fiduciaire.

TRUSTER

Il a MONOPOLISÉ *la parole. Cette poignée de vedettes* ACCAPARE *les médias. Ils* SE *sont* EMPARÉS *du marché.*

○ Monopoliser, accaparer, s'emparer, s'approprier, accumuler.

TUNER

Un SYNTONISEUR *de qualité.*

○ RECOMM. OFFIC. syntoniseur.

TUNING

Le RÉGLAGE *est parfait.*

○ Réglage, accord instrumental.

TURNOVER

Le TAUX DE RENOUVELLEMENT *des jeunes cadres.* ROTATION *des marchandises.*

○ RECOMM. OFFIC. taux ou cycle de renouvellement, rotation du personnel (ou des marchandises).

UFOLOGIE

*L'*ÉTUDE DES OVNIS *en a déçu plus d'un.*

⇨ *Ufologie* dérive du sigle *UFO* pour *unidentified flying object.*

❍ Étude des ovnis.

UNDERGROUND

Le MÉTRO *de New York est plus propre qu'il ne l'était.*

– *La culture* SOUTERRAINE. *Un mouvement* AVANT-GARDISTE.

❍ Métro – souterrain, clandestin, avant-gardiste, marginal, non conformiste, contre-culture.

UPDATE

La MISE À JOUR *d'un logiciel.*

⇨ INFORMATIQUE.

❍ Mise à jour, actualisation.

UPGRADE

La MISE À NIVEAU *d'un ordinateur devenu obsolète est trop onéreuse.*

⇨ INFORMATIQUE.

❍ Mise à niveau, modernisation. amélioration, évolution, mise à jour.

USER FRIENDLY

Une interface très CONVIVIALE.

⇨ INFORMATIQUE.

❍ Convivial, convivialité, facile à utiliser.

USINE CENTER

La vente en direct dans des MAGASINS D'USINE.

❍ Magasin d'usine.

VALABLE

⇨ GLISSEMENT DE SENS. Cet adjectif s'emploie dans le bon usage pour désigner ce qui est acceptable, bien fondé, qui a les conditions requises pour produire son effet. Sous l'influence de l'anglais, un glissement de sens condamnable altère ce mot et lui donne le sens de « remarquable, qui a de la valeur, du mérite ». Un billet de chemin de fer peut être *valable*, mais un élève sera bon ou studieux car il ne peut être considéré comme étant « en cours de validité » !

Ce pâtissier est ~~VALABLE~~ *: ce pâtissier est* TALENTUEUX. *Un enseignement* ~~VALABLE~~ *: un enseignement* EFFICACE.

VAMP

Jouer les FEMMES FATALES.

❍ Femme fatale, séductrice, ensorceleuse.

VAMPER

Elle n'a cessé de le SÉDUIRE *au cours de la soirée.*

❍ Séduire, aguicher, charmer, ensorceler.

VAN

Une FOURGONNETTE *destinée au transport des chevaux.*

⇨ Un *minivan* est un monospace ou véhicule monocorps.

❍ Fourgonnette, camionnette, fourgon.

VANITY-CASE

Elle veillait à toujours emmener avec elle son COFFRET DE MAQUILLAGE.

❍ Coffret de toilette ou de maquillage.

VIDÉO-CLIP

Lancer une nouvelle chanson à l'aide d'une SÉQUENCE VIDÉO PROMOTIONNELLE.

❍ Séquence vidéo, bande vidéo promotionnelle, court métrage promotionnel, montage promotionnel, bande-annonce (d'un film).

VIDÉOCONFÉRENCE

Organiser une VISIOCONFÉRENCE.

❍ Visioconférence.

VIDÉOGAG

Une émission de VIDÉOS COMIQUES.

⇨ Formé sur opéra-comique, la *vidéo comique* peut être un équivalent acceptable.

❍ Vidéo comique ou tragicomique, cocasserie filmée, vidéofarce.

VIDÉOGAME

La vente des JEUX VIDÉO *repose essentiellement sur l'engouement des moins de vingt-cinq ans.*

❍ Jeu vidéo.

VIDÉOPHONE

Parler dans un VISIOPHONE *en déroute plus d'un.*

❍ Visiophone.

VINTAGE

C'est un bon MILLÉSIME *pour le bordeaux.*

❍ Millésime, millésimé.

VIP

Traitement spécial pour PERSONNALITÉ DE MARQUE.
L'appartement royal est réservé pour une CÉLÉBRITÉ.

⇨ *VIP* signifie *very important person.*

❍ Personnalité (de marque), célébrité, personnage, notable, dignitaire.

VISITE D'ÉTAT

Un chef d'État en VISITE OFFICIELLE.

⇨ Traduction servile de *State visit*, *visite d'État*

doit laisser la place à notre bonne vieille *visite officielle.*

❍ Visite officielle.

VOLLEY-BALL

⇨ SPORT. Pour les puristes : *balle de volée.*

WAGON

Déjeuner dans la VOITURE-RESTAURANT. *En* VOITURE *!*

○ Voiture, voiture-restaurant, voiture-lit, voiture-bar.

WALKMAN

Faire du patin à roulettes tout en écoutant de la musique sur son BALADEUR.

○ RECOMM. OFFIC. baladeur.

WALK-OVER

Gagner par FORFAIT *de l'adversaire.*

⇨ SPORT. Abréviation : W.O.

○ Forfait.

WARGAME

Les militaires affectionnent les JEUX DE GUERRE *simulés sur ordinateur.*

❍ Jeu de guerre, jeu de simulation d'un conflit armé, jeu de stratégie, simulation guerrière.

WARM-UP

*Un tour d'*ÉCHAUFFEMENT.

❍ Échauffement.

WARNING

1 – *Allumer ses* FEUX DE DÉTRESSE.

❍ Feux de détresse.

2 – *Recevoir un* AVERTISSEMENT *pour mauvaise conduite.*

❍ Avertissement.

WATER BED

Les LITS À EAU *sont réputés pour lutter contre le mal de dos.*

❍ Lit ou matelat à eau.

WATERPROOF

Tissu IMPERMÉABLE. *Une montre* ÉTANCHE.

❍ Imperméable, étanche, à l'épreuve de l'eau, résistant à l'eau.

W.-C.

Aller aux TOILETTES.

⇨ *W.-C.* sont les initiales de *water-closet.*

❍ Toilettes, cabinet d'aisances, sanitaires, lieux d'aisances.

WEB, WWW

Connectez-vous sur la TOILE MONDIALE. *Un site sur le* RÉSEAU *se compose de plusieurs pages que peuvent consulter les internautes.*

⇨ INFORMATIQUE.

❍ Toile mondiale, hypertoile, réseau.

WEBMASTER

Un ADMINISTRATEUR DE SITE *trop occupé pour être en mesure de répondre rapidement.*

⇨ INFORMATIQUE. *Administrateur de site* ou *de serveur* est proposé par la Commission générale de terminologie et de néologie.

❍ Administrateur de site ou de serveur, responsable de site.

WEEK-END

Un ENTRESEMAINE *consacré exclusivement aux loisirs. Bonne* FIN DE SEMAINE *! Je passe mes* CONGÉS HEBDOMADAIRES *en Bretagne.*

⇨ La *fin de semaine* peut tout autant évoquer le jeudi-vendredi que le samedi-dimanche. L'*entresemaine* – construit sur le modèle d'entremets, entrepont, entresol, etc. – lève cette confusion.

❍ PROP. [entresemaine], fin de semaine, congé

hebdomadaire, samedi-dimanche, repos dominical, relâche.

WELCOME

Vous êtes le BIENVENU *!*

❍ Bienvenu.

WHARF

Des restaurants servant des spécialités de fruits de mer se succèdent sur le QUAI.

❍ Quai, jetée, avant-port, ponton, appontement, débarcadère, embarcadère.

WHISKY

⇨ Le *scotch* désigne le whisky écossais, le *whiskey* est irlandais, le *rye* est canadien, le *bourbon* est américain.

WHITE-SPIRIT

Ajouter 5 % de SOLVANT *avant d'utiliser votre peinture.*

⇨ Le *white-spirit* est un solvant d'origine minérale pour peinture dont les caractéristiques sont fixées en France par l'arrêté du 28 décembre 1966.

❍ Solvant, diluant.

WHO'S WHO

Figurer dans le BOTTIN MONDAIN. *Il appartient au* GOTHA. *Il figure au* QUI EST-CE.

⇨ *Bottin* est une marque déposée.
❍ Bottin mondain, gotha, annuaire des célébrités, PROP. [qui est-ce].

WILD CARD
Il a directement eu accès au tableau final grâce à une INVITATION.
⇨ SPORT.
❍ Invitation.

WINDOW BAG
Une voiture équipée de COUSSINS GONFLABLES LATÉRAUX.
❍ Coussin gonflable latéral.

WORKSHOP
Participer à un ATELIER DE PERFECTIONNEMENT.
❍ Atelier ou session de perfectionnement.

WORLD WIDE
Cette marque est connue DANS LE MONDE ENTIER.
❍ Mondial, dans le monde entier.

WYSIWYG
Ce document s'affiche en mode TEL ÉCRAN – TEL ÉCRIT.
⇨ INFORMATIQUE. Le *what you see is what you get* n'est autre qu'un *tel écran – tel écrit.*
❍ Tel écran – tel écrit, tel-tel.

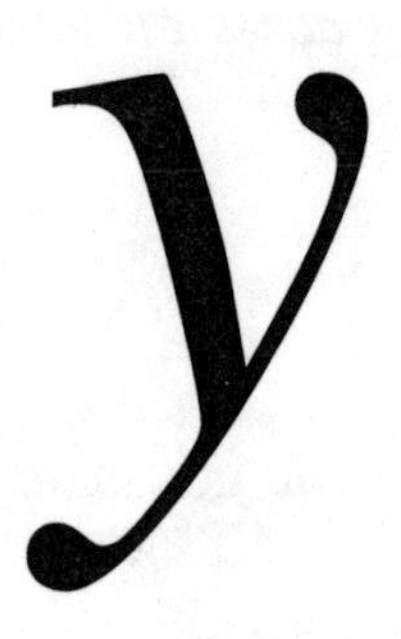

YACHT

Les NAVIRES DE PLAISANCE *remplissaient le port de Saint-Tropez.*

⇨ Mot d'origine néerlandaise.

❍ Navire de plaisance, voilier, trois-mâts, goélette.

YACHT-CLUB

Vous trouverez le CERCLE DES PLAISANCIERS *à l'entrée du port.*

❍ Cercle des plaisanciers, cercle de voile.

YACHTING

Elle fait de la PLAISANCE *en Bretagne.*

❍ Navigation de plaisance, plaisance, sport nautique.

YUPPIE

Les JEUNES CADRES DYNAMIQUES *ont pris un coup de vieux.*

❍ Jeune cadre dynamique, jeune loup.

ZAPPER

Passer son temps à BOUTONNER *sur la télécommande.* PASSER *d'une chaîne à l'autre pour éviter les publicités.* SURVOLER *les chaînes. – Les enfants* SABRENT *tout, même les livres.*

⇨ *Zapper* peut se comprendre dans deux sens différents. Le premier introduit l'idée d'appui impulsif sur les boutons d'une télécommande. *Boutonner* correspond à cette acception. Le second figure l'idée d'un rejet impitoyable et brusque. *Sabrer*, au sens figuré, traduit fidèlement ce comportement. En *zappant*, on perd effectivement la chaîne précédente, mais on donne aussi libre cours à une force impulsive.

○ PROP. [boutonner], passer, survoler – PROP. [sabrer], écarter, rejeter, virer.

ZAPPING

Le BOUTONNAGE *exaspère tous ceux qui n'ont pas la télécommande en main. – Canal+ présente quotidiennement un* TOUR DES CHAÎNES *qui rassemble les extraits les plus piquants.*

○ PROP. [boutonnage], papillonnage télévisuel, flânerie câblée – PROP. [tour des chaînes], morceaux choisis, survol des chaînes.

ZIP

Blouson fermé par une FERMETURE À GLISSIÈRE.

⇨ *Fermeture Éclair* est une marque déposée.

○ Fermeture à glissière, fermeture Éclair.

ZOOM

Prendre une photo au TÉLÉOBJECTIF. *Les voleurs d'images bardés d'impressionnants* TÉLÉOBJECTIFS. – GROS PLAN *sur les innovations techniques. Effet* LOUPE.

○ Téléobjectif, objectif à focale variable – gros plan, loupe, agrandissement.

ZOOMER

AGRANDIS-*moi ce détail. Le cadreur a filmé son buste* EN GROS PLAN.

○ Agrandir, faire un gros plan, plan rapproché (cinéma), plan serré (télévision).